「後伸びする子」に育つ親の習慣

東京大学名誉教授
北鎌倉女子学園学園長
柳沢幸雄

青春出版社

はじめに　どんな子でも、いつからでも「後伸び」はできる！

「後伸びする子」と聞いて、どんな子どもを想像しますか？

たとえるなら、「小学校や中学校入学時点では成績が今ひとつだったけど、中学後半から成績が伸び始めて、高校・大学と成績は優秀。名の知れた一流企業に就職して働いている子どもの姿」……でしょうか。

時間はかかるけど、後からぐんぐん成績が伸びることを「後伸び」だと考えている方がいたとしたら、それは少し違うかもしれません。

「後伸び」という言葉に反応する親御さんが多い本当の理由は、後から学力がついてくるという意味ではなく、「子どもが自立して、大人になってもいきいきと自分らしく、自分の力を発揮して生きていってほしい」と願うからでしょう。

私はよく小さいお子さん向けの講演会をしたり本を書いたりしているため、親御さんから「先生のお話をもっと早くうかがっていれば……」という声を聞くことが多くあります。もう手遅れと言わんばかりの言葉ですが、実際は子育てに手遅れはありません。

だれでも後伸びしているし、後伸びできるのです。

その理由は本書でこの後お話しするとおり、どんな子でも、過去の自分と比べれば、必ず成長しているからです。お子さんが後伸びする方法に、テクニックなどありません。

私はアメリカと日本で、下は小学生から上は大学院生までという幅広い年代の教育に携わり、多くの子どもたちの成長を観察してきました。そこでの親子関係は多様でしたし、いろいろな相談にも乗ってきました。

子どもは一人ひとり違います。どの子も例外なく、その子らしい色や輝きを持っています。それをいち早く見つけ、将来への種まきをして、子どものいいところを伸ばすサポートをしていくのが親の役目だと思っています。

人が輝く瞬間は、早ければいいというものではありません。極端に言えばいつだっていいですし、大人になってから大きく伸びる人も数多くいるのです。

適切な親子の距離感を持つ

2020年春から世界を襲った新型コロナウイルス。この1年あまりの間、私たちはいろいろな意味で「人との距離感」を否応なく実感してきました。

親しい人との会話やさまざまな行事、イベント。普段なら楽しいはずのことが、すべて「いけないこと」「避けるべきこと」とされてしまったのです。私自身が生きてきたなかで、これほど「人との距離感」を意識したことはありませんでした。

子どもたちは2020年春、初めて学校が一斉に休校になるという経験をしました。夏休みでもないのに子どもが家にいる毎日。最初はとまどった方が多いかもしれませんね。

それから時間が経過して、親子関係や親子の距離感はどう変わったでしょうか。今まで以上に子どもとの会話が増えたという親子がいれば、逆にケンカが増えたという親子もいるかもしれません。

親子の距離感は遠すぎても近すぎてもいけません。でも、お子さんを観察する目だけは、離さずにいてください。今、お子さんが何に興味を示しているか、どんなことが好きでどんなことなら自ら動こうとするのか。

それが親御さんから見て、くだらないものや意味のないものであってもまったくかまいません。自分の好きなことを見つける、好きなことを極める。きれいごとのように聞こえるかもしれませんが、これほど強く、間違いのない方法はありません。私自身もそうやって好きなことをしてきたので、自信を持って言えるのです。

好きなことなら頑張れますし、努力することができます。その好きなことが、形を変えて自信につながり、自己肯定感につながり、将来の仕事につながることもあるのです。

機が熟すのを焦らず待てるか

成功体験をするのに遅すぎることはありません。大人になっても伸び続ける、成長し続けることができれば、人生はより豊かで快適なものになります。

なかには、お子さんの好きなことがわからないという親御さんがいるかもしれません。

でも、焦らなくて大丈夫。お子さんが自分からやる気になるのを待つ、つまり「機が熟すのを待つ」のです。心の内からわき上がる〝内発的な思い〟は本物です。自分の欲求から何らかの行動を起こすことが大事であり、その時期はお子さんによって異なります。

もし機が熟すのが遅すぎてお子さんが後悔したとしても、後悔する権利が子どもにはあります。本書で詳しくお話ししますが、親は子どもが失敗しないようにお膳立てをしすぎないことが大切です。子どもは失敗をすることで学び、成長していきます。

これからの時代に強いのは、困難の中でも生き抜く力を持っている人です。会社がなくなっても、「自分はこれができる」「自分にはこんな武器がある」と自信に満ちて言えるかどうかが大切になります。

子育ての最終ゴールは子どもの自立です。子どもが一人の人間として自立することができた。それだけで、子育ては大成功だと言えるでしょう。

この本をきっかけに、お子さんの素晴らしい面に気づくことができれば、こんなに嬉しいことはありません。

柳沢幸雄

「後伸びする子」に育つ親の習慣——もくじ

第1章 「距離が近すぎる親子」の大問題

第2章 思春期を乗り越えられる親の「会話力」

第3章 〝後伸び〟させる親がしていること

第4章 わが子を自律した人間にする方法

編集協力 樋口由夏
カバー・本文イラスト 曽根愛
本文DTP 佐藤純（アスラン編集スタジオ）

第1章

「距離が近すぎる親子」の大問題

誰にも頼れない〝孤育て〟が増えている

共働きが増えて、お父さん、お母さんが家庭で子どもと密接にすごす時間は減っています。それなのに、ひと昔前に比べて親子の距離感は近づいているように感じることがあるのはなぜでしょう。一人っ子が増えて、子どもにかける時間が増えているから？　教育熱心な親が増えて、子どものすることにあれこれ口出しするから？　どちらも半分正解で、半分間違っているような気がします。

ひとつ、根本的な原因として挙げられるのは〝お母さんの孤独感〟です。

突然ですが、「動物園で生まれた動物は子育てをすることができない」という事実を知っていますか？　動物は群れのなかにいれば、自然に子どもが生まれて育っていく様子を見ることができます。

人間も同じで、大家族や地域社会のなかで育っていれば、子育てを何らかの形で見ていますから、「あんなふうにやるんだな」「こうすればいいんだな」と学ぶわけです。つまり、**子育ては見よう見まねで覚えるもの**なのです。私が子どものころ、一緒に遊んでいた女の子は弟や妹をおんぶひもでおんぶしていたものでした。

ところが今は、母親はたった一人で子育てという大変な役目を担っています。お産直後こそ里帰りできたり、祖父母が手伝いにきてくれたりするものの、その後はあまりサポートを受けられないのが現実。誰にも頼れないから、「私がしっかりしなくちゃ」という責任感に押しつぶされそうになりながら、心細いなかで子育てをしているのです。

子どもが大きくなってもその意識が続いて、程度の差こそあれ、「私がすべてやらなければ」と思ってしまうのでしょう。

夫はもちろんのこと、祖父母やきょうだい、近所のおじちゃんおばちゃんなど、大人の手が多ければ、もっと気楽に子育てができるのでしょうが、今はほとんどの人がそのような環境にはありません。

きょうだいでも同じ育て方は通用しない

そういう意味では、一人目より二人目の子どものほうが、比較的おおらかに育つといわれるのはうなずけます。親が一度子育てを経験しているため、「まあ、子どもなんてこんな感じだよね」「こんなこともある」と肩の力を抜いた子育てができるのです。

ただ、男の子と女の子の生まれてくる順番によっては、子育てを大変に感じることもあるようです。よく、「一姫二太郎」は子育てがしやすいといわれますが、〝孤育て〟が当たり前の現在では、かえって子育てがしにくいという面もあります。

一人目が女の子だった場合、母親にとって娘は同性であり、自分が通ってきた道でもあり、それほど苦労がなく子育てできます。しかも女の子は、男の子より体も丈夫で病気にかかりにくく、いわれたことも比較的きちんとやります。

ところが、その一人目の子育ての成功体験を二人目の男の子に当てはめようとすると、うまくいかないことが多々あります。

母親にとって異性である男の子は、いってみれば「宇宙人」。お母さん自身に兄弟がいるなら話は別ですが、経験のないお母さんには男の子の成長過程などわからないのです。

その結果、二人目の男の子に叱ることが増えてしまいます。

「お姉ちゃんは前の日のうちに明日の準備をしてるのに、あなたはなんでいつも出かける直前にやるの！」「お姉ちゃんは学校から帰ったらすぐに宿題をやったのに、なんであなたはできないの？」などと比べてしまうのは最悪のパターン。一方的に姉と比べられた弟は、叱られてばかりで自己肯定感が得られず、自信をなくしてしまいます。やがて思春期を迎えるころには、過干渉な親にうんざりしてしまうかもしれません。

一方、一人目が男の子だった場合、ただでさえ慣れない子育てに異性の子育てであることが加わるため、たしかに大変なことが多いでしょう。でもつまずきが多い分、いい意味でお母さんは子育てに自信満々にならずにすみます。

男の子と女の子では成長の仕方が違います。もっと言えば、**子どもは一人ひとり違い、成長の仕方やスピードもまったく違う**ことを肝に銘じてください。お姉ちゃんで成功した子育てが、弟で成功するとは限りませんし、その逆も言えるのです。

親の価値観はもう役に立たない

親の価値観は子どもに多大な影響を与えます。今の親御さんの多くは、「自分は勉強を頑張って大学に入った。その努力があったからこそ、今の自分がある」という価値観のもとに子育てをしているのではないでしょうか。

親御さん自身が直面してきた社会や世の中は、なんだかんだいっても学歴が大事。そのような強い思いがあるからこそ、手を替え品を替え、子どもにそれを伝えようとします。知らず知らずのうちに自分の価値観を押しつけているのです。それによって、子どもの資質とやりたいことの間にギャップが生じます。

親御さん自身が、過去の成功体験を引きずっているのだとも言えます。でも、ここにきて急速に日本社会全体の価値観が変わり始めています。おそらくこれからは、何でもこなせる「ジェネラリスト」という存在が死に絶えることになるでしょう。受験という枠組みでは秀才だとしても、社会ではやるべき仕事がなくなっていくということです。

これからの時代を生き抜くのは、会社が倒産しても生き抜く力をもっている人です。日本社会には長らく終身雇用制があり、大企業は倒産しないという神話がありました。いい大学を出て大きな会社に入れば、一生安泰だと思われていたのです。

でも実際はどうでしょう。会社の平均寿命はせいぜい30年程度という説があります。どんな大企業も倒産や合併という荒波にさらされつつ、なんとか存続しようともがいているのです。これまで重宝されてきた「ジェネラリスト」は、会社のことが何でもわかっている全体の調整役。こういう人が出世をしていたため、人々は安心してそのポジションにつくことを目指していました。

しかし、テレワークの普及やAI技術の進歩によって、このようなジェネラリストは特に必要ないことが明らかになりました。言い方はきついかもしれませんが、具体的な富を生み出していないからです。会社がつぶれたとき、ジェネラリストはようやく「自分は何ももっていない、生み出せない」と気づく。それが、今起こっていることなのです。

私自身、商売人の家庭に生まれ、中学生のときに店が倒産するという経験をしました。その経験があったからこそ、会社や店がなくなっても自分の力で生きていく、自分の力で稼ぐという意識は人一倍強かったように思います。

就職した会社が倒産する可能性は誰にでもあります。だからこそ、会社がなくなっても生きていけるような力をつける育て方をすることがとても重要です。

「私はA社で部長職を10年やってきました」と言ったところで、その人が役に立つのはA社のなかでだけ。「私は偏差値72の○○大学を卒業しました」というだけでは、「勉強ができたんですね」で終わりです。

これからの時代、生き残るうえで必要なのは「私は〝これ〟ができます」という得意分野をもつこと。親の役目とは、子どもがその得意分野という〝武器〟を見つけるお手伝いをすることなのです。そのためには、**「好き」を極めることが重要**になってきます（〝好き〟と職業の関係は第4章でお話しします）。

親のサポートは何歳まで必要なのか

私の両親は高等教育を受けていません。だから私が高校生になったとき「高校って何をやっているの？」と聞かれたものです。大学のことはもっとわからなかったことでしょう。私は東京大学の教養学部理科一類に入学しましたが、卒業したときは工学部化学工学科でした。これを見た母親には、「おまえはどんな悪さをしたの！　入ったところと出るところ（学部）が違うじゃないの！」と怒られました。

人がいいと言うことは疑ってかかり、人がやめろと言うことは何でもやってみる。私のようなあまのじゃくな人間が最高学府と呼ばれる大学に入れたのは、親がこのくらい、いい意味で無関心だったおかげかもしれません。**親子がちょうどいい距離感だった**のです。

放っておかれれば子どもは伸び伸びできますし、自立もできます。

子どもにとって、生まれたときから親は親として存在していて、けっして勝てない存在です。でも子どもが思春期をすぎて、親でも知らないことが増えてくると、「もうここから先は自分で選ぶほかない」という気分になりますし、腹もくくれるのです。

「でも今は時代も違うし、社会もますます厳しくなってるから、自立するまでサポートしてあげなきゃ」。親御さんとしては、自分の経験からそう思うかもしれません。たとえば中学受験を考えているご家庭では、「中学に入るまでは」と頑張って二人三脚でサポートします。ところがそれがだんだん延びて、「高校入学まで」「大学受験まで」となり、ついには就職までサポートしてしまうこともあります。

実際は、親がサポートしすぎると、子どもの成功を妨げることになってしまいます。よく親の七光りといいますが、親の七光りで世に出た人で、成功した人は非常に少ないことは実感されているでしょう。

親が光る部分と、子どもの光る部分は必ずしも同じではないからです。親が社会に出るにあたっていろいろ準備をしすぎてしまうと、たしかに社会の入り口のハードルは低くなりますが、そこでうまくハマらないと、思わぬしっぺ返しを食らうことがあります。

たとえ親と子でも、それぞれ別の人間、まったくの別人格であることは当たり前です。親は自分の成功体験から、「私はこうだった」と思いがちですが、子どもとは別人格だと思っていたほうが、お互いにとても楽になります。

もちろん、子どもの心の深い部分では、親の影響を受けることはありますが、それは子どもの心で起こることであって、親から「絶対この学校に行け」「こんな職業がいい」など押しつけるようなものではないのです。

"つけあがる"と子どもはチャレンジする

「子どもはほめて育てる」

これまで何度も聞かされていることでしょうから、「そんなの子どもが小さいうちだけでしょ」と思われているかもしれません。

でも、あなたが子どものしつけに今も悩んでいるなら、何歳からでも遅くはないのです。あらためて今、ほめて育てることの大切さをお伝えしたいのです。

ほめることで、子どもはどこまでも自信をつけていきます。言葉は悪いですが、「豚もおだてりゃ木に登る」で、どんな子でも、ほめられれば自分に適した道を自分で選んで進んでいくようになるのです。

最近、よく親御さんから受けるのが、「ほめられたいから"いい子"でいるだけじゃないんですか？」「ほめるとつけあがるのでは？」という質問です。

その答えは非常にシンプルで、「そうなったら考えましょう」です。

子どもが親に媚《こ》びていると感じたら、そのときに対応を変えればいい。まだほめてもいない段階で、「こうなったらどうしよう」などと心配しても仕方がないのです。

親御さん自身が自信をもって堂々とほめること。「子どものために、いいと思うことをやっているのだ」と思えるなら、まずやってみることです。

子どもをほめて、つけあがっていると感じたとしても、それでいいのです。「つけあがる」を別の言葉でいえば、「その部分に自信をもつ」ということでもあります。どんどんその分野に向かって走らせてあげてください。**実はつけあがるのは非常にいいことで、つけあがることがチャレンジする力につながる**のです。

子どもは基本的に好奇心や向上心のかたまりです。ほめられて安心してしまって、挑戦しない、ということは子どもにはありえません。

ほめるとは親の価値観を伝えること

親の価値観を押しつけるなと言いましたが、実は親の価値観を効果的に伝える方法が「ほめること」なのです。ほめることで、けっして押しつけがましくなく、「子どもにこうあってほしい」という思いを伝えることができます。

たとえば子どもがお手伝いをしてくれたら、「よくできたね。助かったわ、ありがとう」とほめれば、子どもは「お手伝いをすると喜ばれるのだ」とわかります。また、試合に負けて落ち込んでいたときも、「結果は負けてしまったけど、あなたがあきらめずに頑張ってきたのは知ってるよ。その努力がすごいと思うよ」と伝えれば、「結果よりも、頑張ってきた過程が大事なんだな」とわかります。

こうあってほしいという親の願いと、子どもの行動が一致したとき、親はほめます。だからこそ、親の価値観や願いが伝わるともいえます。ただし、注意が必要なのは、結果だけをほめないこと。「試験に合格した」「100点をとった」といった結果に対してだけほめてしまうと、試験に受からない自分はダメ、90点の自分では親に認められない、と思ってしまいます。**結果ではなく努力した過程や、その行動そのものをほめるようにすれば、子どもの自信につながります。**

親御さん自身がほめられて育っていないから、ほめ方がわからないという人もいます。たしかに日本人はほめることが苦手です。「あれもダメ、これもダメ」と否定し、足りないことを指摘して叱る文化だからです。肯定するより否定したほうが、なんとなく親の権威がありそうに見える、つまり偉そうに見えるからではないでしょうか。

もっといえば、教えないことが本当の教え方だ、という向きもあります。でもこれは、ただ親が楽をしているだけ。「背中を見て覚える」などともいわれますが、これも大人にとって非常に都合のいい言葉です。

「俺の背中を見て覚えろ。俺は30年これでやってきたんだ」などと言われても、30年見ていないと身につかないことなんて、誰もやりません。人類３０００年の知恵や知識を身につけるのに、３０００年の時間をかけるわけにはいきません。

教育とは、経験値をいかに短い期間で次の世代に伝えるかという技術なのです。

子どもの過去との「垂直比較」でほめる

話が少しそれましたが、親は誰でも子どもをほめる才能があります。

子どもを否定しないための親の心構えとして重要なのは、**子どもの「過去」と「現在」を比較する**こと。私はこれを「垂直比較」と呼んでいます。

私たちがよくやってしまうのは、子どもと友だちを比べたり、きょうだいを比べたりする「水平比較」。これはやってはいけないうえに、最も意味のないことです。

お子さんと友だちは別の人間ですし、同じ親に育てられたきょうだいであっても、もちろん別の人間です。成長のスピードや度合いは人それぞれ。「あの子はあんなにできるのに、なんであなたはできないの？」と責めるのは、カメに対して「なんでうさぎのように速く走れないの？」と言っているようなものです。

それに対して、垂直比較をすればわが子は確実に成長しているとわかります。

子どもの半年前、それどころか一週間前と比較してみてください。子どもは、どこかの部分で必ず成長しています。成長している点を具体的に言葉に出してほめてあげると、子どもは心地よく感じるものなのです。

実はこの垂直比較、親御さんなら誰でも自然にやっていたはずです。それは、お子さんが赤ちゃんのときのことを思い出せばわかります。

首もすわらず寝返りも打てなかった赤ちゃんが、やがてハイハイをして自分で動くようになった。このとき親は、「うまい、うまい」「ハイハイできたね！」「すごいね」といってほめまくったはずです。

「這《は》えば立て、立てば歩めの親心」ということわざがありますが、子どもの成長はただだうれしく、待ち遠しいものなのです。

やがてつかまり立ちをして、一人歩きもできるようになる。昨日より今日、できることが増えて、素直にうれしかったはずです。そんなお子さんに、「もっとまっすぐ歩けないの？」「もっと上手に動いて！」などと要求するでしょうか。

求めることが多くなると、叱ることも増えてきます。

乳児期までは無意識にできていた垂直比較。ところが親はいつしか他の子と比べて叱るようになり、子育てがしんどくなってきます。それがいつの間にかエスカレートして、別の人と比べずにはいられなくなってしまうのです。

子ども一人ひとりの人格を尊重して、垂直比較のまま成長を喜ぶことができるかどうか。これがとても重要です。**垂直比較は、子どもが生まれたときから現在までの成長をずっと見てきた親御さんだけができること。**

「前はできなかったけど、こんなことができるようになった」

こんなほめ方ができるのは、学校の先生でも、近所のおばさんでもなく、親御さんだけであり、親である特権でもあります。

ちなみにこの方法は、子どもだけでなく会社の部下にも使えます。

「この前の企画書に比べて、今回はいいものを提案しているね」というように、部下の過去と比べるのです。正直なところ、提案の内容がよくなっているかどうかはどうでもいい。過去と比べたときの「変化」に価値を見いだしていると伝えてあげることが重要なのです。ここでも、結果ではなく過程をほめること。それを具体的に表明すれば、言われたほうは心地いいですし、さらに熟考して、もっといいものを提案しようと思うはずです。

〝赤ちゃんだったころ〟を意識的に思い出す

垂直比較にはもうひとつメリットがあります。

それが子どもの個性や好きなことがわかってくること。子どもの過去から今を時間軸で見ることは、そのまま子どもをよく観察することにつながるからです。

その子の個性や好きなことは、その子がもっている「才」や「天分」。それに気づいてあげられれば、ほめて伸ばしていくことにつながります。

一方で、子どもとの距離が近すぎると垂直比較ができなくなります。

子どもを近視眼的に見てしまうと、どうしても子どものできない部分が目について、その部分を指摘したり責めたりしてしまうからです。

「うちの子は成績も悪いし、いつもゲームばかりでほめるところがない」

「これといった特技も才能もない」

とおっしゃる親御さんもいますが、それは結果だけを見ているから。結果重視をやめれば、ほめるポイントはいくらでもあるはずです。

時間という縦軸を使って、垂直に比べることでしか子どもの成長は正しく判断できません。そうすれば、「ほめるところが見つからない」ということはなくなります。

そのためには、子どもを俯瞰で見ることも必要です。生まれたときから子どものそばで子どもの世話をし、日々の食事をつくったり、送り迎えをしたりしている親御さんからすれば、この「俯瞰で見る」という視点をもつのが難しい方がいるのもわかります。

でも、ほんの少し意識してみてください。子どもがどんなに大きくなっても、反抗期になっても、赤ちゃんだったときのことを少し思い出してみてください。今は親の背丈を抜かんばかりに大きくなっていたり、強めの言い方で親を威嚇していたりしても、昔は親に頼りっぱなしの赤ちゃんだったのです。そのときのことを思い出せば、力んでいた気持ちがふっと抜けて、お子さんをほめることができるようになります。

まわりのお子さんを見たときも、自分の子と比較するのではなく「いろんな子どもがいるな」「ほかの家は、どんな子育てをしているんだろう」と思うだけで十分です。これを私は「水平認識」と呼んでいます。けっして比べたりせず、まわりはどんな感じなのか知

るだけ。そうすれば、人と比べて焦ることはなくなります。

大人の否定が〝指示待ち人間〟をつくる

ほめることの大切さについてはわかっていただけたと思いますが、ほめ続ければ必ず自信につながるのに対して、否定ばかりしていると、子どもはいわゆる「指示待ち人間」になります。それはなぜでしょう?

子どもは自分の行動や言葉が繰り返し否定されると、もう否定されたくないと思うようになります。親からの指示通りにすれば否定されません。そこから、指示されることを待ち望み、自分から動こうとしなくなるのです。

たとえば子どもが何かやろうとしたときに、「そんなことしちゃダメでしょう!」と否定したとします。すると子どもは、別の方法を試そうとしてやってみます。すると親が、「何やってるの、ダメでしょう」とまた否定します。

これが続くと、子どもは「どうやったら親に否定されないようにできるだろう」と考えますが、やがて「親が言ったことだけをやっていれば否定されないんだ」と気づく。これが続くと、いつしか子どもは〝指示待ち人間〟になっているのです。

会社の会議で、もし上司に「おまえはバカだな、そんなことも知らないのか」などと言われた人は、会議で二度と発言しなくなるでしょう。すると上司は、「最近の若いヤツは指示待ち人間で、何も言わないしやらない」とぼやきます。でも、そういう部下をつくったのは上司自身であることに気づいていません。これとまったく同じことを、親子でやっていませんか？

親御さんは自分が指示待ち人間をつくってしまったことに気づいていません。だから子どもに対して次のような残酷なことを言います。

「なんでチャレンジしようとしないの？」

「なんでやる気にならないの？」

子どもは親に肯定され、受け入れられることで自信を得て、何かにチャレンジしようとします。否定されればチャレンジすることをやめてしまいます。チャレンジしなければ失敗もしない。失敗をしなければ親に否定されることもなくなるからです。

こうして子どもはやる気を失っていきます。「チャレンジしない→自信をつけるチャンスがない→自己肯定感を得られない」という悪循環です。

なぜ親はわが子を自己同一化してしまうのか

「私ができなかったことを、子どもにはやらせてあげたい」

「子どもがつらい思いをしていると、自分のこと以上につらくなる」

親御さんならこの気持ち、わかるのではないでしょうか。

子どもと自分は別人格のはずなのに、どうしても同一視してしまう。親ならある程度は仕方がないのかもしれません。

特に同性の親子の間で自己同一化の問題が起きることがあります。そこで関係がこじれてしまうと、ある意味で最悪の関係になります。

私が相談を受けたのは、Aさんとそのお母さんの関係についてでした。母子家庭ながらも仲のいい母子で、お母さんは地元の学習塾で教えていました。やがてAさんは上京して東京の大学で学び、教職課程も履修して教員免許を取得します。無事卒業して、地元で教職につくことができると教員免許を持っていないお母さんはとても喜んでいたそうです。

ところがその後、Aさんはもともと興味のあった歴史の勉強をもっと続けたいという気持ちが強くなり、大学院に入ることになりました。そこでお母さんは怒ってしまいます。娘が教職という自分の知っている世界から、知らない世界に飛び出そうとしたからです。「せっかく教職の免許をとったのに、大学院だなんて！」と怒ったお母さんは、それまでAさんにしていた仕送りを一切ストップ。Aさんは生計を立てるために、大学院に通いながらアルバイトをかけ持ちして、すっかりエネルギーを消耗してしまった様子でした。

反抗期の息子の暴力に悩む親御さんはよくいますが、こういった母と娘の密着による事例も実は深刻です。

母親が娘を通して自分の夢を叶えようとしたものの、娘が自分の予想していた枠を乗り越えてしまった。そのため、手のひらを返したように冷たくなってしまう。自分の願いと娘の行動が一致しているときだけ協力して、そうでなくなることは許さない……。

特に、頑張って子育てをしてきたという自負のあるお母さんには、娘が自分を超えていくこと、離れていくことに耐えられないのでしょう。自分の目の届く範囲にいた「いい子」が知らない世界に行こうとすると、親の存在を否定されたように感じるのかもしれません。

私が育った時代には、このようなケースはありませんでした。現代の親の教育熱が高まってきた結果なのでしょうか。

ひと昔前は、できのいい子がいたら「末は博士か大臣か」と近所をあげて持ち上げたものです。しかし、今は親の学歴も高くなっているため、親が通ってきた道を子どもがなぞることになります。だからこそ、親が経験していない道に子どもが向かおうとすることに違和感があり、冷静な判断が及ばなくなってしまうのです。

子どもに自分の人生のやり直しをさせないで

「自分は○○（たとえば大学受験）がうまくいかなかったから、子どもには同じ過ちを繰り返してほしくない」という気持ちが強すぎて、それを何度も言い聞かせたり、無意識に子どもに押しつけてしまったりする親御さんがいます。

子どもにすればいい迷惑です。口にこそ出さなくても、「うざったいなあ」と思っていることでしょう。

親は、自分の経験を子どもに投影してしまいがちです。でも、後悔したり反省したりしていることをそのまま伝えても効果はありません。**「おまえのためを思って」という教訓めいた助言は、立場や状況のまったく異なる子どもには受け入れることが難しい**のです。「おまえのために」なんて言っても、「それはお母さん（お父さん）の気持ちでしょ」と思われるのがオチです。

自分自身のことを振り返ってみてください。親に「おまえのために言ってるんだよ」なんて言われたところで、素直に受け入れられたでしょうか。

たとえば、親御さんには勉強をサボって受験に失敗した経験があり、「あのときもっと勉強していれば」と後悔しているとして、それを伝えれば子どもは勉強をするでしょうか。そんなことはありえないのです。

「タイムマシンに乗って自分の過去に戻ることはできない。ならば、子どもを使ってそれを実現させよう」。そんなことに子どもの人生を使ってはいけません。子どもに自分の人生のやり直しをさせないでください。

できるとすれば、〝ただ自分の経験として話すこと〟です。

「○○はうまくいかなかった。でも、私は今、大人としてちゃんと生きている。では、どんなことを考えて、どういうふうに修正したのか」。このように話すことができれば、それは子どもにとっても有用な体験談です。

たとえば、大学受験は失敗したけど、今はちゃんと仕事をしてお金を稼ぐことができている。あのとき失敗だと思ったことをどうとらえて、どう乗り越えてきたのか。けっして押しつけるのではなく、**自分の経験と気持ちをそのまま伝える**のです。

すると子どもは、「お父さん（お母さん）にもそんなことがあったのか」と素直に受け止めることができるはずです。

また、お子さんと自分の子ども時代を比較してしまう人もいます。先ほど「垂直比較」の話をしましたが、お子さんと友だちやきょうだいを比べることがよくないのはわかっていても、無意識に自分の子ども時代と比べてしまうのです。

「自分が中学生のときはもっと勉強をしたものだ」

「私は数学が得意だったのに、なんでこの子はできないのか」……などなど。

これは、「時空を超えた水平比較」とも呼ぶべきものです。子どもは親とはまったく別の人格なのに、自分の過去とお子さんを比べることに、いったい何の意味があるのでしょう。人の心はまさに人それぞれで、ひとつの出来事に対するとらえ方も同じはありえません。それが理解できれば、自分の子ども時代の記憶と比較することはなくなります。

子どもはいつ、本気になって勉強を始めるのか

特に日本の親御さんは、子どもの〝できていないところ〟にばかり目がいき、それを細かく指摘しがちです。「できていないところ」というのは、親からすれば自分から勉強しようとしない、あるいは身を入れて勉強をしない、というものではないでしょうか。でも、それは**まだ機が熟していないだけ、ということが多い**のです。

精神的な成長が遅い子もいれば早熟な子もいます。そのとき、どういう友だち関係があってどういう情報を得るか、あるいはどういう本を読んだかによって、触発されるものは異なります。子どもはそのつど言葉や行動でメッセージを発しますが、それはまさに今、時が満ちた、機が熟したから出てきたものなのです。勉強をしなければならないと感じたら自分からやり始めるでしょうし、そう感じていないとしたら、いつまでもやらないかもしれません。大人はそれを注意深く観察して、引っ張り上げてあげるべきなのです。

機がまったく熟していないものを引っ張り上げようとするのは無理があります。

「機が熟すまで待っていたら、うちの子はいつまでたっても本気で勉強しません！」

そんな親御さんの悲痛な声が聞こえてきそうですね。勉強するまで待っていたら、大学受験に間に合わなくなってしまう……。親御さんが焦る気持ちもわかります。

結論からいうと、それはそれでいいのです。それが子どものもつ生命力です。大人になってから、「もっと勉強しておけばよかった！」と思うことは、私たち大人でもありますよね。**後悔したそのときが、「機が熟したとき」**なのです。

「そんな無責任なことを！」と思われるなら、本でもＳＮＳでもＹｏｕＴｕｂｅでもいいので、やる気をうながす情報を親御さんがさりげなく子どもに伝えるといいでしょう。

いずれにしても、お子さん自身が「（自分のために）やらなくちゃダメだ」「どうしてもやりたい！」といった必要性を感じなければ、本当に身につくことはないのです。

親の〝先回り〟は子どものやる気をつぶす

子育ての最終ゴールは子どもの自立です。つまり、子どもが自分の力でメシを食えるようになることが目標になります。そのために肝に銘じていただきたいのは、親が何でも先回りしないということ。

親が先回りして何でも「察して」しまうと、子どもはやる気を失います。

たとえば子どもが学校から帰ってきたら、何も言わないうちから「ノドかわいてない？」とお水が出てくる。「おなかがすいた！」とも言っていないのに、おやつが出てくる。

これでは、子どもは自分の欲求から言葉に出したり、行動を起こしたりすることがなくなります。寒ければ暖かい上着が用意され、忘れ物をしたとわかれば、子どもが気づく前に親が届けてくれる……。これでは、子どもはものを言う必要を感じなくなります。

子どもを思う親の気持ちが、強く出すぎているのかもしれません。

でも、**親が先回りをして転ばぬ先の杖になろうとするのは、長い目で見ると子どもにとって不幸なこと**です。

転ばぬ先の杖は、子どもではなく高齢者のために必要なもの。高齢者が転ぶと骨折し、寝たきりになる可能性がありますが、子どもはたくさん転ばせたほうがいいのです。

たとえば子どもが公園に行って、高いところに登ったとします。見ていると本当に危なっかしいですが、絶対ダメとは言わず、親は落ちてもいいように下で構えて待っています。そうやって育てるとどうなるかというと、すごく大胆で慎重な子になります。

失敗を恐れずいろいろなことに挑戦しますし、ときには何かやらかしてケガをすることもあるかもしれませんが、安全確保にも気を配れる子になります。痛い思いをすると、もう二度とそんな思いをしたくないと考えるからです。

これはあくまでたとえです。大ケガはけっしてさせてはいけませんが、小さなかすり傷程度ならどんどんさせたほうがいいのです。

やり直しは何歳からでもできる

先回りをするとは、子どもに失敗をさせないこと。でも、子どもには失敗する権利とやり直す権利があります。子どもは失敗をすることで学び、成長していくのです。

「遅刻をして先生に叱られた。すごく恥ずかしかった」
「みんなの前で発表するときに、うまく話せなかった。声が小さいとみんなに笑われた」
そのときはとてもつらいだろうし、イヤな気持ちになったかもしれません。だからこそ、「もう二度と遅刻をしないようにしよう」「今度はもう少し大きな声を出そう」と思えるのです。

小さな失敗をたくさんさせましょう。子どもは必ず乗り越える力をもっています。親御さんは、**子どもが失敗から学び、自分の力で考え工夫し、実践する力をつけていく過程を見守る**ようにしてほしいのです。

「そうは言っても、もうたくさん先回りして子どもを助けてきた。もう遅すぎる……」なんて嘆いている親御さんがいるかもしれません。でもまだ大丈夫、間に合います。

子どもが小さな失敗をしたら、先にお話ししたような垂直比較をしてあげましょう。「今日は○○を忘れちゃったか〜。でも小学生のときに比べたら、忘れ物もすごく減ってるよね」などと、ちょっと言ってあげればいい。

成長するタイミングは人によって違います。小さな失敗を乗り越えるとき、子どもは小さな成功体験を手にします。これが自信や自己肯定感につながるのです。

成功体験をするのに、遅すぎることはありません。もしかすると子どものうちは失敗ばかりでも、大人になってからの体験で、グンと後伸びすることがあるかもしれません。

大人になったらもうおしまい、ではつまらない。何歳になっても伸び続ける、成長し続けることができれば、人生はより豊かで快適なものになります。

親の自己肯定感は子どもに大きく影響する

子どものほめ方がわからないという親御さんは、もしかすると自分自身の自己肯定感が低い可能性もあります。日本には〝ほめない文化〟が根づいているので、それも無理はありません。親御さんが子どものころは、今以上にほめられることが少なかったはずです。

親御さんの自己肯定感が低いからといって、けっして自分を責めないでください。

「子どものここができていない」とつい目につく部分は、実は親自身が自分に足りないと

思っている部分でもあるのです。親はその〝ダメな部分〟を強調されて見せられているような気になり、余計に感情的になってしまうのでしょう。

親にできるのは、自分のダメな部分から目をそらさず、きちんと向き合ってその部分を認めること。直そうとする必要はありません。認めるだけで子どもの欠点だと思っていた部分も欠点ではなくなり、問題そのものが消えてしまう可能性があります。

日本の子どもや若者は、世界の国々と比較して自己肯定感が低いといわれていますが、これは親の自己肯定感が低いことも一因のようです。

自分がダメだったから、子どもには同じ思いを味わわせたくない。自分は自己肯定感が低かったから、子どもはせめて自信をつけてほしい。そう思うあまりに、前項でお話ししたような、失敗をさせないようにしてしまう面もあるのでしょう。

でも考えてみてください。あなたはお子さんを育て、毎日仕事や家事までしているではないですか。多くの大人にとって、自分がこうありたいと望んだことは、全体の1割くらいしか実現していないかもしれません。それでもちゃんと社会で生きている。それだけでも素晴らしいことです。

「そんなことはありません」「私なんて大したことないです」

日本人はすぐに謙遜をしますが、アメリカには謙遜という概念がありません。

今となってはポジティブ思考のかたまりのように見える私ですが、かつてはとても悲観的な人間でした。それが、アメリカに渡って大きく変わったのです。

謙遜をするより、自分をアピールするほうが素晴らしいことだとわかり、同時に自分の発言に責任をもてるようになりました。

だから親御さんも自信をもって、人生を楽しんでください。その姿を見て、お子さんの自己肯定感も上がります。それはもう、最強の親子ではないでしょうか。

子どもは本能的に親から離れたがる

子育てのゴールは子どもの自立です。

親子関係では、最初は親が子どもの世話をし、最後は子どもが親を見守ります。つまり、子どもが赤ちゃんのときは親が子どもの面倒を見て、最後は子どもが多かれ少なかれ親のケアをすることになります。

それぞれの時期の喜びや苦労はありますが、私が思うに、親子関係ではその中間の「親も子どもも大人として生きているとき」が一番楽しいです。

その楽しい時間をできるだけ長くしたいなら、「子どもに早く自立させる」ことが必要です。ついでにいうと、親は健康に留意して、要介護状態になるのをなるべく先に延ばすこと。そうすれば、大人同士のつき合いが長くできます。

私の場合は、今がまさにそのときです。息子二人は独立して家庭をもち、ときには一緒にお酒を飲むこともあり、これが非常に楽しい。私が現役の間は、飲み代はすべて私が出すことになっています。現役でなくなったら、割り勘にするつもりです。

子どもと楽しく大人同士の時間をすごすには、早く手放し、子離れすることです。

自立とは、子どもが自分でメシが食えるようになること。動物は立てるようになったら自分で食べ物を探します。人間は食べ物を自分で見つけられるようになるまでは長いですが、人間にも動物の本能はあるので、あるとき親から離れて食べ物を探し始めます。その最初のポイントが思春期です。

思春期になって子どもが親離れをしようとするのは、本能的に親が先に死ぬことを知っているからです。親が死んでも食べ物を探さなくてはならない。でも複雑で入り組んだ人間社会で食べ物を探し、自立する方法がよくわからない。不安が募るけど、親から離れろと本能が命じる。この不安と本能の葛藤が、一番身近で安心できる親への反抗として表れるわけです。

野生動物の場合、子が親離れをするころに親の寿命も尽きます。ですから「子離れ」ということ自体が必要ないし、起こり得ない。

ところが人間の親だけは、その後50年も80年も生き続けます。困ったことに、動物としての人間にも、もともと「子離れ」の本能はありません。だからこそ、**意識的に子離れをする必要がある**のです。これができないと、とても厄介なことになります。

よそよそしいのは「距離をおいて」というサイン

特に男の子の場合、子離れのタイミングを逃すことによるミスマッチが起こりがちです。友だちや外の世界が楽しくなったり、急に口数が少なくなったりする思春期の男の子に対して、母親はご自身が経験していないことだけに理解できず、**自分の手の届く範囲から離れることに寂しさを感じるようです。**

親は子どもが何歳になってもかわいくて仕方がない。その本能のままに、子どもを包み込んでしまおうとします。

母親が寂しさを感じるもうひとつの理由に、父親の不在が挙げられます。最近は一緒に育児をしたり、子どもの勉強や受験に関心の高い父親も増えてきたとはいえ、特に中学受験の場面などでは、情報収集をしたり塾の送り迎えをしたりして戦略を立てるのは、まだまだ母親が多いようです。

子どもが中学受験をするときは、母親の意識は子どもだけに向かっています。ようやく受験が終わると、そのタイミングと子どもの親離れの時期が重なることが多くあります。すると、母親の心にぽっかりと穴が空いてしまうのです。

私は開成中学校、高等学校の校長を長年務めていましたが、中学の合格者説明会で毎年伝えていたことがあります。

まず子どもには、「合格おめでとう。よく頑張ったね」といい、保護者には「保護者のみなさま、ご卒業おめでとうございます。密着した子育ては終わりました。またご主人との時間にお帰りください」と。ただ、これだと冷ややかな空気が流れることが多かったので、途中から「ご主人との時間に〜」ではなく、「これからはご自分のために時間をお使いください」と言うようにしましたが。

お子さんが中学に入学するくらいの年齢になったら子離れの準備期間。子どもにかかりっきりの生活を卒業して、自分の時間を楽しんでくださいという意味です。

子どもがあまりしゃべってくれなくなった、よそよそしくなったら、「少し子どもと距離をおきなさい」というサインだと意識することが幸せへの道です。

特に中学受験は、子どもはもちろん親の努力の賜物でもあり、母子のかけがえのない共同作業です。だからこそ、それが終わったタイミングで子離れをする。それができると、その後お子さんは順調に成長していくことが多いですが、「まだまだ大学受験に向けて頑張らなきゃ」なんてくっつかれると、子どもは息苦しくなってしまい、子どもをつぶすことになってしまいかねません。

親が上手に子どもから手を引くと、子どもは友だちや先輩から情報を仕入れることを覚えるようになります。もちろん、そこにはいい情報も悪い情報もありますが、見よう見まねで学び、外での人間関係を構築していくのです。そこに親が介在してはいけません。

18歳になったら一人暮らしをさせる

私は常々、大学入学のタイミングである18歳になったら一人暮らしをさせましょう、と提言しています。

一人暮らしを始めると家が恋しくなることもあるでしょうが、そういうときは喜んで迎えてあげて、おいしいものを食べさせ、また翌日送り出せばいいのです。

自宅にいると、たとえ18歳になっても、さらには30歳になったとしても、どうしても子どもは保護する対象になってしまいます。一人暮らしをすれば異性と知り合う機会も多くなりますが、自宅にいてはなかなかそうはいきません。

今の子どもたちの生活水準は、私が子どもだったころに比べてはるかに高くなっていま す。それは日本が豊かになった証拠でもありますが、逆に**子どもからすると、自分の稼ぎで自分の生活がよくなったという実感を得にくい**ということでもあります。

ほしいものはすでにもっていて、「いつかはあれを手に入れたい」というものがなければ、それも当たり前ですよね。

でも18歳でいったん生活水準を落とせば、イヤでもお金を稼ぐことの意味を実感できます。東京や大阪などの都市では家賃が高いでしょうから、学生寮や下宿でもいいでしょう。探せば賄いつきの下宿もあるはずです。

もともと都市部に住んでいる場合は特に、「仕送りをするお金がない」「一人暮らしをする必要性がない」という親御さんもいます。しかし、地方から大都市の大学に進学したご家庭はどうやりくりしているのでしょう。東京には地方から、海外から、たくさんの学生が集まっています。キレイとは言えないところに住んでいる学生もいるでしょう。風呂なし、トイレ共同の物件もたくさんあります。むしろ、キレイなワンルームマンションなどを借りてはいけないのです。

学生ならそうそう贅沢はできませんが、学生だからこそ耐えられるのです。暮らしてみると、今までどれだけ自分が豊かな生活をしていたか、家族が自分のために時間を割いてくれていたかがわかるでしょう。

自宅であれば脱ぎ捨てた服はいつの間にかたたんでしまわれていたでしょうが、一人暮らしだと、帰宅後もそのままの形で床においてあります。そこで初めて「そうか、これは誰か（親）がやってくれていたんだ」と実感します。

「一人暮らしは大学を卒業するタイミングでもいいのでは」と思われるかもしれませんが、社会人になることの負担は心身ともに非常に大きいもの。そうであれば、学生のうちに一人暮らしを経験しておくのがいいと思います。これは女の子でも同様です。

不自由な環境から始めてやがて自分で稼ぐようになり、晴れてワンルームマンションに引っ越したら、自分の力で生活を向上させたことが実感できるでしょう。

親御さんがそのつもりなら、子どもには小さいうちから、「18歳になったら家を出ていくんだよ」と折に触れて伝えておきましょう。そうすることで、「18歳で一人暮らしをする」ことを当たり前だと考えます。

〝居心地のよさ〟が自立の邪魔をする

私も大学に入学して、自分から家を出ました。元から「早く家を出たい」「家を出て自由を満喫したい」と思っていたのです。

一人暮らしを始めたころの生活は不自由で、けっして贅沢もできませんでしたが、塾や家庭教師のアルバイトをしてバイト代が入ったときだけ、居酒屋で脂ののったハマチを食べるのが楽しみで仕方がありませんでした。

たまに食べるハマチは本当においしくて、自分で働いて、自分のお金でおいしいものを食べる喜びは、実家暮らしでは得られないものでした。

今のご家庭では、お母さんが毎日子どもの好きな食事をつくってあげることが多いのではないでしょうか。でも、それでは子どもはなかなか家を出る決心はつかないでしょう。**お母さんの味ほどおいしくて離れがたいものはない**のですから。特に男子は、好きなものを毎日つくってくれる母親に生まれたときから胃袋をつかまれっぱなしだとも言えます。たとえ彼女ができたとしても、太刀打ちできないかもしれません。

私が小さいころは父親が大黒柱という時代ですから、食卓に出てくるものは親父の好きなものばかりでした。親父は毎日晩酌をしていて、うまそうな酒の肴《さかな》が出てきます。それはそれはおいしそうで、私も食べたかったのですが、母には「自分で稼げるようになったら食べていいわよ」と言われました。

「大人っていいなあ」「早く大人になりたいなあ」と思ったものです。早く大人になりたいという思いが、自立をうながします。

今は何不自由なく暮らしている子どもがほとんどでしょうから、子どもに言わせると、家を出るなんてデメリットしかないのです。家の居心地が悪くて制約も多く、「早く家を出たい」と思うくらいがちょうどいいのかもしれません。

〝親の知らない世界〟をもち始めたら子育て大成功

小学校高学年くらいになると、子ども同士の世界でいろいろな知識や情報を得ることが多くなります。親は少し寂しさを感じるかもしれません。

でも、それは子育てがうまくいっている証拠です。思春期に入るころに親から離れて、親の知らない世界をもっている。そこでいろいろな情報を入手して、自分で考えている。そういう自立性のある子どもに育て上げられたと大喜びすべきなのです。

さらに言えば、**親が何を言っても子どもが聞く耳をもたなくなることこそ「子育て大成功！」の証し**です。30歳、40歳になっても「お母さん、お母さん」とくっつかれたら困ってしまうでしょう。

もちろん親というものは、子どもがいくつになっても、たとえおじさんやおばさんになっても心配してしまうものです。

子どもが正しい道に進んでいるかどうか判断することは難しいかもしれません。

私が親父に「これだけはやるな」といわれたことは、「人をあやめるな（殺すな）」「盗みはするな」。これだけでした。

人間ですから、それ以外の小さな過ちは（もちろん犯罪は除いて）、生きていくなかで経験しつつ学ぶものです。誰でも、長い人生を思い返せば「ああ、あれはまずかったな」「あれはすべきじゃなかった」ということは、ひとつやふたつではないはずです。しかし、長い目で見て、道を外れていなければいいのです。

最近は、実家から出たがらない子どもが多いと聞きます。

その理由は、これまでもお話ししたように、家が子ども中心でまわっているので居心地がいいから。まして都市に住んでいて大学も近郊にあるなら出ていく必然性はないし、就職をしても、最初は給料が少ないからと家から通うケースも少なくありません。

「自分の使えるお金が減るから家を出ていかない」などと言っていたら、ずっと家から通うことになってしまいます。給料が少なければそこで工夫をする。冷たい場所があれば、なんとか自分で温かい場所をつくる。それが自立です。
ぬくぬくした環境に身を置いたまま、子どもが30歳、40歳になってもずっと家にいる不自然さを考えたら、親が意識的に自立をうながすべきだと気づく必要があります。

「ひきこもり」を防ぐには

親元から離れられず、大人になって「ひきこもり」になってしまうこともありえます。原因はいろいろですし、気質的なものもあるでしょう。でも大きな原因としてひとつ挙げられるのは、「自分が受け入れられている」という感覚を十分にもつことができなかったということです。

人間はどこか自分が逃げ込める場所がありさえすれば、ひきこもることはありません。

しかしそれがないと、自分の根源的な場所に逃げてしまいます。それが「自分の家、親元」です（家庭が安心できる場所であるべきなのは言うまでもありません）。

そのうえで、自分がひきこもれる場所、安心して受け入れられる場所が家庭以外にあることが、ひきこもりを防ぐ一番のポイントになります。

どんな年齢のどんな人も、何かしらのストレスを抱えながら生きています。大人であれば飲み屋に行く、趣味に打ち込むなどしてそれを解消できる場所を見つけます。人と人とのつながりによっていやされるのです。そういう場所をひとつでももっていれば、最後の砦である家庭に逃げ込むことはないでしょう。

自分の居場所を見つけるには、どうすればいいのでしょうか。中学生であれば部活は重要な居場所のひとつです。運動部でも文化部でもいいのですが、部室にいるとなんとなく楽しい。ワイワイしているうちに時間がすぎていく。そこにいるときは本当の自分自身に戻れる。そういう場をもっているといいでしょう。

もちろん部活は中学、高校、大学と、その場で終わってしまうものですが、かつてそういう場所があって、そこで自分を解放することができた、という感覚が肌に残ってさえいれば、社会人になっても必ずそういう場所を見つけることができます。

たとえば大人なら、接待ゴルフでは自分を解放することはできないけれど、趣味の釣り仲間と一緒のときはストレスも晴れる、といったことがあるでしょう。とにかく、自分の家庭以外にもいやされる場所、自分を表現できる場所があることを、育ち盛りの時期に経験しておくことが大事です。

夫婦間、親子間には適切な距離感が必要

最近は中学受験に熱心な父親も増えていますが、子どもの教育に関する意見の相違が夫婦ゲンカの一番の原因だといわれています。

父親と母親で子育てに関する意見が異なるのはよくあることです。でも、**夫婦で意見が違うのは実は悪いことではありません。**夫婦は別人格であり、育ってきた環境も違いますから、意見が違って当たり前。夫婦が同じ意見なのはいい面もありますが、場合によっては子どもを追い詰め、逃げ場をなくしてしまうことがあるのです。

「お父さんはこう言っているけど、お母さんは違う意見だ」。このことは、子どもにとっ

て社会性を学ぶ機会になります。同じ大人でもいろいろな意見をもつ人がいて、価値観はそれぞれであることを理解するのは社会人の第一歩。子どもは親の価値観に大きく影響されますが、親の価値観だけで物事を判断するようになると、別の意見や忠告を受け入れられなくなってしまいます。

くだけた言い方をすれば、夫婦は漫才のボケとツッコミのノリでいいのではないでしょうか。あるいは、刑事ドラマで取り調べのシーンがありますね。だいたい刑事が二人いると、当たりの強い刑事となだめ役の刑事に役割が分担されています。それも同じ。

世の中、ひとつの解しかなかったら子どもはしんどいですし、柔軟性に欠けてしまいます。相手の意見を一方的に否定するのはいただけませんが、相手の意見にツッコミを入れたり、ボケたりするのは大歓迎。言っていることに一貫性がなくてもかまいません。そんなに完璧な人間はいませんし、世の中に出ればいろいろなことがあって、そのときどきで対応も変えなければならないからです。中心軸に子どもへの愛情があればいいのです。

父親と母親が右と左に5メートル離れているとすれば、子どもはその振り幅のなかで選択すればいい。柔軟性や幅がなければ、自立に向けての教育としては、逆に危ういように思います。

「子はかすがい」という言葉がありますが、子どもが思春期になって親離れが始まると、夫婦で話すネタがなくなるという話も聞きます。

子どもは夫婦関係における、たかだか18年から長くて20年間の闖入者《ちんにゅうしゃ》だという意識をもって私は子育てをしていました。夫婦二人のなかに急に入ってきて、時期が来たらいなくなってしまう人。そういう感覚でいることが大切だと思います。

お母さんも自分のための時間を大切にする

私は日本でもアメリカでも、自分より年長の博士課程の学生の研究指導をしたことがあります。また、50歳くらいで博士号をとった女性研究員もいました。彼女は子どもの親離れが始まったころ、40代後半で再就職を目指し応募してきた方で、分析の研究助手として働き、非常に優秀で仕事もできました。あるとき、彼女が「今までやってきた分析をまとめて、今から博士論文を書きたい」と相談してきました。

大賛成でしたが、よくよく理由を聞くと「子どもが高校生になったけど、家にずっといると子どもの気になる部分が目について、文句ばかり言ってしまう。子どもから離れて、自分が夢中になれるものがほしいから」とのことでした。

私はこう答えました。「明日からやるつもりでは遅すぎる。でも昨日では、まだ時が満ちていなかった。今日その気になったということは、まさに潮時。やりましょう！」

やろうと思ったときがやるとき。今日、たった今からやりましょうと言ったのです。そこから5、6年はかかりましたが、彼女は博士号をとることができました。

この章でも、お子さんが自分からやる気になるのを待つ、「機が熟すのを待つ」という話をしましたが、大人も同じです。いくつになっても、**自分のなかからわき上がる内発的な思いは本物**です。機が熟するものは人それぞれ、時期もそれぞれです。

お子さんが中学生になったら、自分が夢中になれるものや、やってみたかったことに挑戦するなど、自分の時間を大切にしましょう。その姿を見せることが、きっとお子さんの自立にもつながることでしょう。

第2章

思春期を乗り越えられる親の「会話力」

ぶすっとしている子が心のなかで考えていること

「何を聞いても『うん』とか、『べつに』しか言わないんです」

「事務的な会話ばかりで、何を考えているのかよくわかりません……」

思春期の子（特に男の子）の親御さんからよく聞く話です。

子どもが未知なる世界に入ろうとする時期であり、体も心も大人になり始めています。意識も考え方も変化してきているものの、まだそれをうまく表現する言葉をもっていません。**人間は、自分の状況をうまく言葉にして人に伝えられないといらだちます。**子どもは成長するなかで、このような状況を2、3歳のイヤイヤ期と思春期の2回経験します。

思春期の子どもは、親より同性の同級生や先輩などをロールモデルとして、言葉や行動を見よう見まねで身につけます。そうして対応力を身につけるのです。

自分のなかにある、なんともいえないモヤモヤした感覚を伝えたい、人と共有したい。そこがうまくいかないと、いらだち、反抗的になることもあります。

もちろん、友だちや仲間だけでなく、親御さんと共有できる部分がまったくないわけではありません。ただそのためには、親御さんが子どもの話を徹底して聞き、意識して理解しようという姿勢が必要です。親にはこれがなかなかできません。

親は子どもの話を聞いて、すぐ「こういうことだよ」と答えを言ってしまいます。でも**子どもは答えを求めているわけではないし、答えだけを言われてもまだ納得することはできない**のです。

ぶすっとしている子の心には、「親に説明すると一から十まで全部話さなくちゃいけない」という気持ちがあります。でも友だちとの関係性とか、日常であったことをひとつずつ話していたら大変です。しかも本人の頭のなかでは、「これはもう親に話してあること」と思っている場合もあります。

それをまた親が質問してくるから、「いったい何なんだ」と思っているのです。つまり本音は「もうイヤだ」ではなく、「めんどくさい」なのです。この時期の子はそういうものだと割り切り、子どものほうから機嫌よく話してくれるのを待つしかないでしょう。逆にいえば、この時期は親にとって子離れのトレーニング期間なのです。

子どもが話す気をなくす親の「決めつけ」

子どもの言葉数が少ないときには、無理に話をさせようとするのではなく、話し始めたタイミングを利用して、その会話が長続きするようにしましょう。子どもがたくさん話をするように、「話の接ぎ穂」を身につけるのがポイントです。

まず使う言葉は、「へえー」「そうなの」「面白いね」など。要するに、「話を聞いているよ」というサインを見せるだけでいいのです。

子どもの話が途中で止まってしまったときには、答えやすい質問を投げましょう。ただし、答えやすい質問といっても、「ＹＥＳ」や「ＮＯ」で答えられる質問はＮＧ。

子どもが答えやすい質問、それが「５Ｗ１Ｈ」です。

・いつ（Ｗｈｅｎ）／どこで（Ｗｈｅｒｅ）／誰が（Ｗｈｏ）／何を（Ｗｈａｔ）／なぜ（Ｗｈｙ）／どのように（Ｈｏｗ）

子どもの話に対して、「へえ、それいつのこと?」「誰とそういう話になったの?」「なんでそうなったの?」などと、ひとつずつ質問を足していきます。この時期の子どもは、うまく話すことができなくてもがいている。だから伝えやすいように、言葉で発言をフォローしてあげるのです。

そもそも、もどかしいながらもしゃべり出したということは、**子どもだって話がしたい、親に聞いてほしい**のです。

子どもの話が一段落したら、会話全体を繰り返して、話をまとめてあげるといいでしょう。これを繰り返し行うと、他者に情報を伝えるには5W1Hを的確に伝える必要があることに気がつくはずです。5W1Hが整った表現とは、論理的表現に他なりません。論理的表現に慣れることができれば、読解力も自然と身につきます。

気をつけなければいけないのは、せっかく子どもが話しているのに、「それはダメ」「時間のムダよ」などとバッサリ切り捨てたり、先に結論を言ってしまったりしないこと。その瞬間、子どもは話す気力を失い、会話も終わってしまいます。

それどころか、子どもは心で「親に話してもムダだ」「何も僕（私）の気持ちがわかってない」と判断し、話すことをあきらめてしまうかもしれません。

話を引き出せる親は「食べ物」を使う

もうひとつ親がやりがちなのが、子どもが話し始めたのをいいことに、質問責めにしてしまうこと。「5W1H」を使うときは、一つひとつ、子どもが話すことを受け止めてから質問を重ねるように意識してください。子どもをよく観察して、話すことにつまるようなら質問を足してあげる。なんとかボールを落とさないようにするイメージです。

これはテニスのラリーのようだとも言えます。難しい球がきても、相手の打ちやすい球を返してあげる。これを繰り返すと、子どもの言いたいことが少しずつわかってきます。

子どもを質問責めにするのは、返せない強い球を次々と打ち込んでいるようなもの。その質問に対する答えがないこともあれば、そもそも話すモードではないこともあるでしょ

う。そんなときは会話がむなしく空回りするだけなので、親が気分を変えるべきです。

このくらいの年齢の子はたいていおなかをすかせていますから、食べ物で釣りましょう。「今お茶をいれるから、ケーキでも食べる?」などと話しかけると、たとえば「学校の売店にある○○パンがうまいんだよ」なんてつながることもあります。

親御さんとしては内心、「食べ物の話より、学校や勉強の話を聞きたい!」と思うかもしれませんが、大人だって本質的な話をすることなど10のうちのひとつあればいいほうでしょう。**すぐに実のある会話を求めないこと**です。

もちろん、食べ物で釣っても反応がない場合もあります。今まで話をしてくれなかった子が急に話し出すと言ったような、過剰な期待はしないほうがいいでしょう。そんなに一朝一夕にはいかないと心得て、焦らないようにしましょう。

ちなみに、男の子が家族と一緒に出かけなくなったときの特効薬は焼肉。わが家も息子が二人いたので、この手をよく使ったものです。「焼肉食いに行こうか」と言えば、ついてこないことはまずありませんでした。

「反抗期のない子」は逆に問題

一方で、最近では反抗期のない子も増えていると聞きます。私は、反抗期がない子のほうが問題だと思っています。反抗期は、自立の精神へのスタートラインだからです。

そのままの自分というものを抱えきれなくなると反抗が起こります。つまり、反抗とは自立しようという意思に比例して大きくなるものだと言えるでしょう。

ところが、すべてを満たされているとしたらどうでしょう。自立という意思をもたないまま時間だけがすぎていくことになります。親子の距離が近すぎるので、親がすべてやってくれる。先回りして転ばないようにしてくれる。すると疑問も出てこなければ、壁にもぶち当たらない。だから反抗が起きないのです。

親はいつまで先回りをして、転ばぬ先の杖を差し出すことができるでしょうか? 生物の掟として、また統計学的に親の方が先に死にます。親が死んで杖が突然なくなるのと、自立できるよう徐々に手を放すのとでは、どちらが子どものためになるでしょうか? **自**

立をうながすために距離をとるのは、子どもに対する最大の愛情の示し方だと思います。

子どもとは基本的に好奇心のかたまりなので、いろいろなことをしでかします。それが表に出てきたとき、一つひとつ受け止めることが成長過程に沿った親の対応です。

それとは反対に、「こうしたほうがいい、ああしたほうがいい」と、子どもの好奇心が芽生えるのを待たずに先回りをしてしまうとどうなるでしょうか。「これは面白いな」と好奇心が熟成することなく、成長していってしまいます。

それが、前述したような〝指示待ち族〟を生む根本の原因です。親が自分の好奇心の先導役をしていたら、反抗する余地はまったくありません。

子どものことをきちんと見るのは大事ですが、もっと大事なのは、〝親が受け身でいること〟なのです。子どもがこっちを向いたらそれを受け、あっちに動いたらそれを受けてあげて、その芽がどうしたら伸びるかなと考えるのです。

もちろん反抗の強さや表現の仕方は個人でも違いますし、男の子と女の子でも違うでしょう。でも、親から離れる準備段階として誰にでも起こることなのです。親子がいったん離れなければ、親と子の人格が並立する親子関係は構築できません。

親を説得するとき子どもは大きく成長する

「うちの子どもは口数が少ない」という親御さんに限って、子どもの話をさえぎってでもご自身がよく話すという方が多いようです。ご家庭でも、お子さんが考えて話そうとしているのに、先回りしてしゃべってしまったり、代わりに答えてあげたりしていませんか。大人も含めて、実は多くの人はほとんどものを考えていません。この「ものを考える力」は、意識してつけさせてあげるものなのです。

考えるのは楽しいこと、心地いいことだと子どもに感じさせるのは、子どもの教育で一番大事だとさえ思います。それができるのは、実は学校ではなく親なのです。

では、親がものを考える力をつけさせるには、どうすればいいのでしょうか？　その方法はいたってシンプルで、「子どもに話をさせること」です。

繰り返し説明していますが、もし子どもが話しているのであれば、とにかく喜んで聞いてあげること。どんな話だっていい。「こんなことをやってみたい」「こんな本を買ってみたい」といったような、親からすれば興味のない話も、くだらない話でもいい。

そこから、「なぜそうしたいのか」「なぜそれがほしいのか」と、親が納得するように説明させるのもいいでしょう。なんといっても、子どもが自ら話しているのですから、それをする動機はかなりあるはずです。

子どもが興味をもっているものを受け入れてあげてください。そうすると子どもはまた次の要求を考えます。「自分の要求ができる→それが受け入れられ、満たされる」ということに快感を覚えると、そこから発展していろいろなことを考えるようになります。

ここでもまた、同学年の友だちやテレビで見たヨソの子などと比べたりせず、その子の過去と現在でどのくらい成長しているか、垂直比較をしてあげてください。子どもの発言というのは、その子が今もっている力量そのもの。それを親が「もう○歳なんだから、そんなことばかり言ってちゃダメだよ」なんて注意しても、できないものはできません。でも、垂直比較で見れば子どもは必ず成長しています。

小さいころから子どもの話を喜んで聞いてあげることを続けていくと、やがて自分の主張がちゃんとできるようになります。「親にこういうふうに説得するとＯＫしてくれる」

などと子どもなりに戦略を練りますし、それが頭のよさにもつながります。
もちろん失敗もＯＫですし、うまく説明できなくてもＯＫ。家庭とは、トライ&エラーが許される場所であるべきなのです。

子どもが話すとき、親の意見は求められていない

大事なことなので何度もいいますが、子どもに話をさせるには喜んで聞くこと、子どもに気持ちよく話をさせるには親は聞き役に徹することを意識しましょう。これは子どもが2、3歳のうちからすべきですが、やることは小学生でも思春期になっても同じです。子どもが成長する過程では、話をさせることで脳も発達します。

以前、『プレジデントファミリー』という雑誌で、「東大生１８４人『頭のいい子』の育て方」という特集があり、私が監修をしました。そこで東大生へのアンケートをとり、「親は自分の話を聞いてくれましたか？」という質問を投げたところ、ＹＥＳと答えた

（「当てはまる」「ほとんど当てはまる」の合計）のは、なんと90・7％にも及びました。親が子どもの話をしっかり聞いてくれるから精神が安定し、安心し、自信がつき、もっと上手に話そうと頭がフル回転するのだということが、ここでも明らかになったのです。

大人が話をさえぎって結論を言ってしまったり、答えを求めたり質問責めにしてしまうのはやめましょう。どうしても意見を言いたければ、子どもの話を最後まで聞いたうえで、「そうか、よくわかったよ」とまず子どもの話を受け入れます。そのうえで、次に一つだけ「こういう方法もあると思うよ」と伝えましょう。この言い方の上手さ、下手さが子どもの自己肯定感の成長に大きな影響を与えます。

子どもは、とにかく自分の話は受け入れてもらえたと感じます。賛同されたかどうかは別としても、**受け入れられた、聞いてもらえたという実感が重要**です。

受け入れられたうえで親が意見を言ったとしても、子どもは「別の意見もあるんだな」と思うだけで、否定されたとは感じません。そこで「自分が話すと、親は必ず意見を押しつけてくる」と感じたら、もうしばらくは話そうとはしないでしょう。子どもは親が思う以上に賢いのです。

親が要約の手本を示すと、記述問題に強くなる

子どもにたくさん話をさせることのメリットはまだまだあります。

それが記述に強くなること。話をするためには、頭にあるものをちゃんと人に伝わるように整理して、表現する必要があります。記述にはある程度の論理力が必要なのです。子どもがこれを繰り返すほど言葉遣いはうまくなり、言葉の構成力もついてきます。

大人はすでに自分の考えを言葉に出して話す能力を身につけているため、これがどれだけ大変なのか、なかなか実感できないかもしれません。このことは、自分が外国語で何かを説明することを思い浮かべればすぐ実感できます。

少なくとも大人は、学校で英語を10年くらいは勉強していますよね。私は講演会で、「みなさんは10年くらい英語を勉強しているでしょうから、これから1分間、英語で自己紹介をしてもらいます」といって、考える時間を2分くらい用意することがあります。すると大人たちは真剣に考え始めます。時間があるときは本当にやってもらうこともありま

すが、たいていは次のような話につなげます。

「ところで、あなたのお子さんは日本語を習い始めて何年ですか？　たいてい2、3歳で親子の会話が始まりますから、小学6年生でも約10年間ということになるでしょうか。そう、親御さんが10年間勉強した英語で自己紹介をするのが大変なように、**まだ10年間しか日本語を勉強してない子どもたちにとって、頭に浮かんでいる事柄を人に伝わるようきちんと話すのは、とても大変なことなんです**」

特に小さい子どもは、何を言いたいのかわからないことがあります。そのときこそ前述した5Ｗ1Ｈを使って子どもの話をフォローしてあげます。たとえば、「お母さん、今日楽しかったんだよ」「へえ、楽しかったんだ（と、まず受け止める）。何が楽しかったの？」。子どもがどんどん話し始めて、話に脈絡がなくてもひとまず聞きます。そして最後に、「今日は○○くんと○○をして、1時間やり続けたんだね。それが楽しかったんだね」と要約してあげると、「そうか、そういうふうに話せばいいんだ」と子どもは学びます。そこから、自然と論理力がついてきます。

これは小さな子どもだけでなく、思春期のお子さんでも同じです。子どもが話したことを「要するに」「要は」「つまり」などの言葉を使って、「こういうことね」と要約してあげてください。あるいは、「要するに、どういうこと？」「ひと言でいうとどういうこと？」と聞いてみるのもいいでしょう。

論理力がつくと人に伝わるようになります。論理力さえつけば、文章を読んだときの読解力はまさに論理力そのものですし、書くことも論理力そのものなのです。

「勉強しないと将来困る」は本当？

「勉強しないと将来困るよ」と、つい脅し文句のようなこと言ってしまう親御さんは多いようです。そんな方に聞きたいのですが、ご自身は今、困っていますか？

「私は十分に勉強してきた」というなら別ですが、「私もあまり勉強してこなかった」「なかなか勉強のスイッチが入らなかった」という方でも、現実としてお子さんをしっかり育てていますよね。自分の足で立ち、自分の頭で判断し、経済的にも自立しているはずです。それで十分ではないでしょうか。

勉強しない子に「そんなことじゃ将来困るよ」と言うのは、親としては励ましているつもり、あるいは助けてあげるつもりなのかもしれません。でも、そんなふうに脅されて、勉強をやる気になる子どもがどれだけいるでしょうか。

「それもわかるけど、つい言ってしまうのは、子どもが勉強をまったくやらないからだ」という親御さんもいます。

少し厳しい言い方をしますが、お子さんをそうしてしまったのは、ほかでもない親御さん自身なのです。

子どもは本来、好奇心のかたまりだと繰り返しお話ししてきました。「なんでもかんでもやってみたい」と思うものなのです。その好奇心をうまく引っ張り上げることができず、好奇心の芽を摘んでしまったのが一番の原因でしょう。

好奇心に応じて行動する。子どもはまずこの〝心地よさ〟を感じることが大切です。この心地よさを感じていなければ、その先の、勉強して難しい問題が解けたときの心地よさを感じなくなります。

子どもが興味をもったことに対して、「勉強とは関係ないから」と興味を奪ってしまうと、〝心地いい〟感覚を知らないままになってしまうのです。幼い子どものころはともかく、子どもが大きくなるにつれ勉強と好奇心を切り離して考えがちですが、もとより**勉強は好奇心がなければできません。**

「勉強」だけを取り出して「勉強しない子」と決めつけるのではなく、子どもが自然にもっている好奇心を大人がしっかり受け入れてあげる。子ども自身が、「受け入れられている」と感じているかどうかが大切です。

その状態をキープできていれば、あるときたまたま「勉強」に好奇心が向いたとき、自分から机に向かうようになるでしょう。

小学生が自動車の形や鉄道の名前、ポケモンの名前などを驚くほど大量に覚えることができるのは、何よりそれが好きだから。興味があることの知識はいくらでも頭に入ることは、親御さんご自身の経験からもわかるはずです。

子どもにとっては、大好きな電車の車両番号を覚えることと、かけ算の九九を覚えることとは、実はそれほど変わりません。親は「かけ算＝勉強」「電車の名前＝勉強とは関係ないこと」と分けてしまいますが、それはあくまで大人の価値観。

驚くほどくだらないことにこだわったり、変なものを集めたりしてハマったりしますが、そのたびに親は、「へえ、面白いね」と話を聞いて、放っておけばいいのです。

子どもの好奇心は思春期からでも引き出せる

ただし、働きかけは思春期からでも遅くはありません。今は子どもが勉強に興味を示さないとしても、親が率先して子どもの好奇心を受け入れるように変化して、子どもが好奇心の芽を出すのを待ってあげればいいのです。

そのときは、ただ受け入れるのではなく、勉強のほうに向けていくことが重要です。好奇心の対象はゲームでもテレビでもかまいません。そこに大人が「ちょい足し」をしてあげて、勉強に興味を向かせてあげられるかどうかなのです。

「ちょい足し」について詳しくは後でお話ししますが、要は料理でいう最後の味つけ。最後にどんなスパイスをふりかけるかで、自分好みの味になるかどうか、勉強の方向に向かうかどうかが決まります。**ただやみくもに「勉強しなさい」と言われて、心地よく勉強した人は一人もいません。**

子どもが好奇心を示しているものに対して、親も一生懸命に知識を入れようとする姿勢が必要なことはすでにお伝えしました。思春期の子どもは素直に話に乗ってこなくて、「今さら話を合わせようとしちゃって……」と白けた顔をするかもしれませんが、内心は親が自分の興味に共感していることがうれしいはずです。

親御さんだって、子どものころは大人に苦い顔をされても夢中になったもの、ハマったものがあったはずです。誰もが一度は通ってきた道。少し当時のことを思い出してみれば、子どもの気持ちがわからないわけはないでしょう。

親が大人になった今の時点でもっている興味や知識まで上ってこい、と子どもに求めるのは酷です。親が子どもの興味へ下りていってあげましょう。

子どもを認めつつ自己肯定感を上げる「魔法の言葉」

子どもに限らず、大人にも使えるオールマイティーなほめ言葉があります。

それが「さすがだね」。

ほんの小さな成功でも、「ああ、さすがだね」「さすが○○さん！」「さっすが〜！」

私の実体験からそう言うのですが、これが一番効きます。どんな状況でも、子どもにも部下にも使えます。

「さすがだね」の言葉には、「最初から君を認めていたんだよ」「私が期待していた通りだよ」というニュアンスが含まれているため、言われるほうは余計にうれしいのです。

あるお父さんにこの話をしたところ、「親として、子どもに『さすがだね』なんて言っていいんでしょうか？」と聞かれました。ほめることに躊躇は必要ありません。とにかく、たくさん〝ほめ玉〟を打てばいいのです。

ほめるときのルールは、具体的な事柄や行動を対象にするということ。たとえば、「かわいいね」「いい子だね」とほめても何も伝わりません。その代わり、少しでもいい方向に変化したら、迷わず「さすがだね」「さすがだな」と言ってあげてください。

いつもぐちゃぐちゃの勉強机が少しでもキレイになっていたら、「机がキレイになってる！　さすがだね～」、洗い物をしてくれたら「おっ、洗い物してくれるの？　さすが◯◯（名前）だね。助かる～！」というように。

こう言うと、「今まで叱ってばかりだったのに、急に『さすがだね』なんてほめたら、気持ち悪がられませんか？」とおっしゃる親御さんもいました。

そんなことを考える必要はありません！　人間、誰だってほめられれば気持ちがいいもの。**〝ほめられたい〟という承認欲求は人間の本質**です。子どもだけでなく、おじいさんやおばあさんだってほめられればうれしいですし、功成り名を遂げても、勲章をもらえばうれしいのです。ほめることに出し惜しみをしないでください。

逆に、子どもを意気消沈させる言葉の第1位は「どうせ……」です。

「どうせあなたがやってもムダよ」「どうせ受からないわよ」などなど、考えただけでイヤな言葉ですね。親から言われるのはもちろんしんどいですが、怖いのは、やがて子どもが自分自身に「どうせ」と言ってしまうようになること。

「どうせ私なんか」「どうせ俺なんか」と自分に言うようなマインドセットができてしまうと、自己肯定感は下がる一方です。絶対に親御さんから言ってはいけません。

自分の子どものころの記憶は美化されている

親はよく、自分の子ども時代と今のわが子を比べて、「私が子どものころは、もっとちゃんとやっていた」などと思い込みます。でも**記憶というものは、自分の都合のいいように塗り替えられることが多いもの。**

「私が小学生のときは、宿題は帰ったらすぐにやった」

「作文はいつも先生からほめられたものだ」

ご自身にこんな記憶があったとして、それはたしかですか？　宿題を忘れてしまったり、けっこういい加減にしてしまったりしたことは本当にありませんでしたか？　ご両親、恩師、友だちなどにあらためて聞いてみると、自分のイメージと周囲の人の記憶には大きなギャップがあることもしばしばです。

私がおすすめしているのが、子どもと一緒に親の子ども時代を振り返ること。もしお子さんと実家に帰ることがあれば、ぜひご自身の小さいころの写真（今のお子さんと同じ年齢くらいの写真も）や卒業文集を子どもと一緒に見てください。

「お父さん、もしかしてパーマかけてない？」

「字が汚い！　漢字も間違えてるよ」などとツッコまれるかもしれませんが、それも楽しいでしょう。

「そういえば、こんなことをしてサボってたなぁ」

「親に言われたあの言葉、まだ覚えてる。イヤだったな……」

などと、当時の感情も思い出すはずです。同時に、自分が親から言われてイヤだったことと、逆に親にしてもらえてうれしかったことなども思い出すでしょう。当時の自分の気持ちを振り返ると、お子さんにかける言葉も変わってくるかもしれません。

あるいは、実家でおじいちゃんやおばあちゃんに、

「お父さん（お母さん）も小さいころ、遊んでばかりでぜんぜん勉強してなかったよ」

「いたずらばかりして、よく先生に呼び出されてね」

などと、親御さんの小さいころの話をしてもらうのもいいでしょう。

子どもからすると、「なーんだ、お父さん（お母さん）も自分と同じようなころがあって、同じような経験があるんだな」と親しみがわくはずです。

子どもは、親にも子どもの時代があったことを想像できません。そのため、親を自分と比較して参考にするロールモデルにはしにくいのです。でも、親子がお互いに想像力を働かせて、誰にも同じように子ども時代があることを思い起こすと、親子の目線が交わり、時間が脈々と流れていることを認識できます。

〝失敗〟できなくなった今の子どもたち

親は自分の過去の失敗についても、子どもにオープンに話すといいでしょう。よく「親の尊厳がなくなってしまいそう……」「『やってもＯＫ』ってことだと勘違いされない？」と心配する方がいますが、子どもはそんなふうには受け取りません。たとえば次のような感じで、何でもないことのように話すのです。

「数学のテストで『10点』とったことがある。すぐどこかに捨てたけどね！」

「塾をサボって遊んでたら、親にバレちゃった……」などなど。

お父さん、お母さんだって優等生だったわけじゃない。今の僕（私）と同じように、親に叱られたり、失敗して泣いたり、怒ったり、失恋したりしていたんだ。それでも、今は子どもを育てて、なんとか社会人としてやっている。だから、きっと自分も大丈夫。失敗してもいいんだ。子どもがそう思えたら大成功です。

「自分もこういう道筋を歩めばいいんだな」と思うか、あるいは反面教師として「そんな失敗はしない」「親と同じ道筋は歩きたくないな」と思うか、それはどうでもいい。**親の道筋が子どもにもわかることが大事**なのです。

お父さんやお母さんが仕事の失敗について話すのもいいでしょう。

「今日、会社でこんな失敗しちゃってさー」と話してみてください。お子さんはきっと食いついてくるはずです。

現時点での知識量や経済力では親に軍配が上がるでしょうから、子どもにとって親は完全無欠な存在だと感じています。でも、社会に出ている大人もこんな失敗をすることがある。ときには失敗するのだとわかると、自分と変わらないことに親しみを感じるのです。

話すことはちょっとした失敗でＯＫです。たとえば「今日、大事なメールを間違えて別の人に送っちゃって、冷や汗が出たよ。あわてて電話で謝ったら大丈夫だったけどね」というような感じです。そこで「ちょい足し」をして、「メールを送るときは送信先をしっかり確認しないと、後で取り返しのつかないこともあるんだよ」などと話をしてあげるのも、いい機会になります。

「過去の失敗」も話のネタにしてしまおう

内容にもよりますが、お子さんがティーンエイジャーくらいになっていれば、お酒の失敗談を明かすのもいいでしょう。

私の世代では早く大人になりたいと背伸びして、未成年でもたばこを吸ったり、お酒を飲んだりして大人のまねをすることがありました。

でも今の子は喫煙も飲酒もまずしません。ムチャをしなくなってしまいましたし、いわゆる不良もいません。もちろんいいことなのですが、その理由はふたつ考えられます。

ひとつは、親子の距離が近づきすぎるから。もうひとつは、昔と違って、子どもが経験している教育を親も経験しているから。つまり、**子どもと同じような学歴をもった親がほとんど**になっているのです。私の時代は、高等教育を受けている親はあまりいませんでした。親は自分の経験を基に子どもに接するものですから、その世代にとって高等教育は興味はあるものの未知の世界だったのです。

ところが、今の親は中学から高校、大学、就職への道筋をだいたい知っている。子どもはそこから逃れられなくて、がんじがらめになってしまっている面もあるのでしょう。

親御さん自身も、「自分を超えてほしい」と、自分の卒業した大学のレベルを超えることを望むことがあります。そうなると、高校を卒業したら自分の好きな道で修業して自分の腕で生きていく、などという選択はしづらくなってしまいます。

たとえば、私は大学院の博士課程を経ていますが、最初からそこを子どもの最低ラインに設定してしまったら、子どもの人生はしんどくなっていたでしょう。

私自身は息子の進路を勝手に決めたり、押しつけたりはしませんでした。長男は法律の世界に、次男は医学の世界に行きました。小さいころ、電子回路をつないで電球が点滅したり、ブザーが鳴ったりするようなおもちゃを与えると、それに対する反応が長男と次男ではまったく違っていました。長男は興味なし、次男は夢中でやっていました。長男は論理的なものが好きで、次男は技術的なものが好き。それぞれ興味が違ったので、子どもが興味を示す方向に「ちょい足し」をしたら、どんどんその方向に進んでいきました。

とにかく私は、「子どもが興味を示しているかどうか」で判断をしていました。けっして親のほうの判断ではなく、主体はあくまで子どもです。子どもが興味を示すということは、その子に本来備わっているものの表れですから、それを受け止めて、伸ばしてあげる。これをけっして忘れないようにしてください。

第3章

〝後伸び〟させる親がしていること

子育てに〝手遅れ〟はありません

ソニーの創業者の井深大さんは、「3歳までの教育が重要」だとずっとおっしゃっていました。その理由は、子どもがどうやって母国語を覚えるかを振り返ればわかります。

私たちはなぜ日本語を話せるのでしょうか。DNA？　地理的なもの？　そうではありませんよね。生まれた直後から長らく、日本語にさらされる環境に身を置いたからです。母親や父親から毎日語りかけられて、その蓄積と実際の行動が結びついたときに言語化する。親は本能的にそれを行っています。

たとえば赤ちゃんが泣いたら、「おむつが濡れたのかな、おなかがすいたのかな？」。おむつを替えたら、「さっぱりしたね、気持ちよくなったね」と話しかけますね。すると赤ちゃんは、言葉こそ発しないものの「これが〝気持ちいい〟という感覚なんだ」と知ることになります。子どもは2歳くらいで意味のある言葉を話し始めますが、わずか2年間でそれができてしまうのです。学校で10年以上、英語を学んでもなかなか話せるようにならないにもかかわらず、です。

これは、生まれてから最初の2年、3年間の脳の発達が非常に重要だということを意味しています。そしてこの時期の脳の発達をうながす一番の要素は「安心感」です。親のそばにいられて、いつも食事を与えてくれる。そんな安心できる環境のなかでこそ、人間は自分の脳をすくすく発達させることができます。

こんなことを言うと、「3歳までなんて、もう遅い！」という声が聞こえてきそうです。これまでたくさんの本を書いてきましたが、その本を読んだお母さんや、講演を聞いたお母さんからは、「先生の話をもっと早くお聞きしたかった……」「うちの子はもう中学生だから、今からでは無理です！」と言われることがとても多いのです。

でも、安心してください。**子育てに手遅れはありません。**これからの親の働きかけ次第で、お子さんを〝後伸び〟させる方法はいくらでもあります。気づいたときに、気づいたことを始めればいいのです。一番よくないのは、気づいているのに何もしないこと。この章では、お子さんの成長をうながすために必要なことをお伝えしていきます。

すべての子どもの成長は「S字カーブ」を描く

私は今までさまざまな立場で、さまざまな年齢の子どもや大人の教育に携わってきました。家庭教師のアルバイトから始まり、中学生や高校生向けの学習塾の講師や経営者として、その後はハーバード大学や東京大学での教員や研究者として、2011年からは開成中学校・高等学校の校長として、そして2020年からは北鎌倉女子学園の学園長として。

そのなかで確信したのは、「すべての成長はS字カーブを描く」ということです。どの環境においても、コツコツと努力する子もいれば、要領がよく飲み込みの早い子、不器用な子など、いろいろなタイプの子どもがいました。

費やした時間を横軸として、成長する度合いや成果、結果を縦軸とすると、けっして比例のグラフのように右肩上がりの線を描くことはありません。

努力をしても、時間をかけても、当初は成果が出ない期間がしばらく続きます。それは冒頭に書いた、どんなに親が話しかけても赤ちゃんが「あー」「うー」などというだけで、言葉を発しない期間に似ています。

ではこの時期の赤ちゃんが、お父さんやお母さんの言葉をまったく理解していないかというと、そうではありません。話しかけられたときの状況と言葉を頭に蓄積しているはずです。ある時期がくると状況と言葉がリンクして、その言葉を自分のものにします。「雌伏《しふく》期間」という言葉があります。鳥が卵を温めているとき、外から見ると何の変化もありません。でも実際には、卵のなかでは劇的なまでの変化が起きています。そしてある時期を迎えると孵化《うか》します。変化があるとしても、外からは見えないことも多いのです。

これは言葉に限りません。**人間の成長も、成果が見えない助走期間を経て、ある時期を迎えると一気に急激なスピードで成長することがあります。**その時期までは「こんなことをやっていても意味があるのか」「いっそのこと、やめてしまおうか」と思うこともあるでしょう。でもそれを乗り越えると、「わかった！」「突然できるようになった」という瞬間がくるのです。

器用な子と不器用な子、よく気がつく子とぼんやりしがちな子、サッと行動する子と熟考する子――。人間の特性はさまざまですが、誰の人生にも「グンと伸びる瞬間」がやってきます。ただ、その瞬間を迎えるまでの時間や努力の量は人それぞれ。親が見放したりあきらめたりしなければ、〝後伸び〟するチャンスは誰にでもあるのです。

これは学習に関してだけでなく、スポーツや楽器などあらゆることに言えます。この「グンと伸びた」という成功体験は子どもも本人も自覚しているので、これを一度でも味わっていれば、やがて訪れる別の壁もそれを糧に乗り越えられます。

いつから伸びるのかは誰にもわからない

生きている限り、「もう伸びない」「成長は止まった」ということはありません。**もし成長が止まることがあるとすれば、「もうこれ以上伸びない」とまわりの人が決めつけたり、「自分はダメだ」と子どもがあきらめてしまったりしたとき**です。

補助輪がないと乗れなかった自転車が、あるときを境として急に乗れるようになるのは、「もうやーめた！」と自転車を降りなかったからですよね。また、まったく聞き取れなかった英語のヒアリングが、毎日聞き続けているうちに、あるとき急に聞き取れるようになったのも、あきらめずに聞き続けたから。

小学校や中学校で伸びきってしまっては、その先で困ってしまいます。〝後伸び〟できる子のほうが、むしろ頼もしいではないですか。

子どもには必ず伸びしろがあります。伸びしろをもっと大きくするには、これまでもお話ししてきたように、「前は○○ができなかったけど、今はできるようになったね」と、親御さんがその子の過去と現在を垂直に比較して声がけをすることです。

子どもだけではありません。大学受験に失敗して不本意な進学をし、結局中退してしまったけれど、社会に出てから経験を積み、会社を立ち上げて成功したという人もいます。あるいは、会社員時代には怒られてばかりいたダメ社員だったものが、ひとつの出来事をきっかけにして急激に伸びることもあります。

さらには、社会で働いていたときはまったく仕事にやりがいを感じられなかったのに、定年後に始めた趣味で生き生きと輝き始めた、ということもあるでしょう。

人が輝ける瞬間というのは、いつだっていいですし、今からでもいいのです。

知識は詰め込んでこそ熟成する

グローバル化した世界で戦うには、思考力や探求力こそが重要で、知識の詰め込みだけでは太刀打ちできないなどといわれます。事実、2020年の大学入試では、そのような流れに沿った問題も散見されました。

でも私は、知識はまず詰め込まなければ始まらないと思っています。知識の習得をないがしろにしたところで、知識の質は上がらないのです。

詰め込んだ知識はやがて熟成します。別々の機会に詰め込んだ知識がそれぞれ熟成し、融合して新しいアイデアが生み出されるのです。

これはちょうど熟成したワインが出来上がる工程に似ています。ブドウを詰め込んでいくと、一粒一粒は時間と共に発酵し融合していきます。融合した液体はやがて熟成したワインとして新しい価値を生み出すのです。

たくさんのぶどうがないとワインがつくれないのと同じように、たくさんの知識がないと化学反応は起こりません。先ほど雌伏期間の話をしましたが、目に見える成果が出ない時期でも、内側では見えない変化が起こっています。目には見えなくても、ワインはしっかり熟成しているのです。そしてワインという成果を出すためには、原料のぶどう（＝知識）がたくさん必要です。

また、春になると毎年キレイな桜が咲きますが、桜の花は1年を通して内側で花を咲かせる準備をしています。春になってから急いで花を咲かせるわけではなく、桜は花が散るとすぐ来年の準備を始める。いくら知識を詰め込んでも成果が見えないとき、それでも必ず内側では変化が起こっていると信じることが重要です。

素晴らしい「創造力」という花を咲かせるには、圧倒的な知識の量が必要なのです。何事にも、量が質に変化する瞬間があります。前項でお話しした、S字カーブを描いて成長するのとまったく同じことです。

知識の量が増えると理解できるようになり、試験で問題が出たときに解けるようになります。そして知識がもう1段階上がって「定着する」ようになると、今度は、「発信する」ことができるようになります。試験でいえば、問題を解くだけでなく、問題をつくれる域にまで達したということです。「発信する」と言っても大げさなことではなく、家庭で親に今日習ったことを話したり、解説したりできるようになります。

さらに知識の量が増えると、バラバラだった知識が融合し、新しいものができるようになります。ここで初めて、「創造」ができるようになるのです。

男子と女子で〝伸ばし方〟に違いはない

知識を得るうえで一番楽しいのは、実は発信や創造をしているときです。

先ほどもお話ししたように、家庭では親が聞き手になり、子どもに学習内容を教えてもらうといいでしょう。

子どもに教わることでプラスになる理由はふたつあります。ひとつは、子どもにとっての優れた復習になるということ。人に説明ができるということは、それだけ知識が定着しているということです。教えることで知識がさらに定着します。

ふたつ目は、親が子どもの成長段階を確認できるということ。もちろん、最初はスラスラと説明なんてできないでしょう。それでも、親が「へえー、知らなかった」「初めて聞いた」などと熱心に耳を傾けてあげると、子どもはもっと話したくなります。そのとき、子どもの頭はフル回転しているのです。

解説まではできないとしても、「今日、学校で何を習ってきたの？　習ってきたことを教えて」と聞くだけでも話は広がります。

たとえば「公民で経済の話をしたよ」「家庭科で家計の話をした」という答えなら、「お母さんは公民が苦手だったのよ」「うちの家計は今、食費が月に○万円で……」というように、親子の会話にもつなげられます。

私が2020年から学園長をしている北鎌倉女子学園では、頭の動かし方や自分で考える方法を教える「柳沢ゼミ」という授業を行っています。

自分で問題をつくることを通して、自分の考えを正確に伝える方法を身につけます。そのことによって、自分がどれだけ素晴らしい頭をもっているか実感することも目的です。問題をつくったらお互いに解答し合って、さらにお互いを批評します。

使用するテキストは、小学生に人気の『科学漫画サバイバルシリーズ』。あえて小学生向けの本を使って問題を作成してもらうのは、新しい作業を始めるときの心理的ハードルを低くするためです。この作問と解答を4回繰り返してゼミは終了。繰り返すたびに前回の作業と比較する振り返りを文章にして提出してもらいます。

ｉＰａｄなどのＩＣＴ機器が使える環境であれば、振り返りの作業は短時間で行うことができます。前回と比較すると問題や解答の質がアップしていることを実感できます。それによって、自分自身で垂直比較をして成長していることを実感できるように設計しています。成長を実感できれば自信がわいてきます。

これがアクティブラーニングです。アクティブラーニングを直訳すると「能動学習」ですが、私はあえて「〝脳〟動学習」だとしています。

私がこれまで校長をしてきた開成中学・高校は男子校、北鎌倉女子学園は女子校です。では男子と女子では何か特別に接し方を変えているのかというと、まったく変えていません。どちらにも大事なのが「自己肯定感」です。

私の体感ですが、自信がない子どもはどこか〝ふわふわした感じ〟になります。でも、

「君は自分でしっかり考える頭をもっているんだよ」ということを伝えてあげて、本人がそれを自覚できると、子どもはガラッと変わります。授業をしていると、「そんなことを考えているのか!」と感心することがとても多いのです。

自信がない子は、たまたま今まで自信をつけるきっかけがなかっただけ。どんな子でも過去の自分を更新するように少しずつ成長している。それを自分で認識できれば自信につながります。

成績が悪いのは授業のスタイルが合わないだけ

親御さんたちも、ほとんどの人は小学校から高校、大学まで、長らく教育を受けてきました。だからこそ、自分が習ってきた経験からなかなか抜け出すことができません。

ご存じのように、これまでの日本ではじっくり深く物事を考える「沈思黙考」型の教育が行われてきました。つまり、黙って先生のありがたいお話を静かに聞くことが良しとされてきたのです。

一方で、欧米型の教育はそうではありません。発言をしない人は存在しないのと同じだと見なされますから、みんなしゃかりきになって発言します。

発言をすると何がいいのかと思うでしょうが、逆に発言をしない場合で考えると、ただ先生の言ったことを耳で聞き、黒板に書いたことを丸写ししただけでは、ほんのり記憶に残る程度でほとんど頭に何も残りません。

前述しましたが、ためしにお子さんが学校から帰ってきたら、「今日、学校で習ってきたことを書いてみて（「話してみて」でも可）」と言ってみてください。なんと、半分くらいのお子さんが何も書けないそうです。

今しがた習ってきたことを何も覚えていない。それが今の教育の実態です。子どもが授業中にボーッとしていたり、居眠りをしていたりしたわけではなく、先生が黒板に書いたこともきちんとノートに写している。ノートを見れば、授業をちゃんと聞いていたこともわかる。それなのに、頭には何も残っていないというのが現実です。

そう、聞いているだけでは右の耳から左の耳に抜けるだけ。アクティブラーニングは、発信をさせます。発信するためには、入ってきた情報を基にして頭で考えて自分の言葉に置き換えて表現をしなければなりません。その作業をすると、頭に記憶として残るのです。

勉強が得意な子は、授業で聞いた話を整理して、ポイントを考えながらノートをとることができますが、勉強が苦手な子はただ機械的に写しているだけ。頭はわずかしか動いていません。

先生は板書を写していれば勉強していると思っているため、このことに気がつきません。子どもの頭の動きを覗くことまでは先生にもできないのです。

“話の振り方”ひとつで子どもは自ら話し出す

動いていない頭を動かすためには、発言をさせるのが一番です。「シーンと静かな教室」というのが日本の常識かもしれませんが、それは本当に正しいのでしょうか？ **子どもは本来、わかった瞬間に「あっ、わかった！」と思わず声を出してしまうもの**です。

ちなみに開成の教室も、日本的な常識からするとうるさいものでした。授業にかかわることであれば、誰が何をどう発言しても文句は言われません。「それはおかしいよ！」と指摘してもいいのです。意外かもしれませんが、開成にガリ勉タイプはいないのです。

発言をうながすには、どうすればいいでしょうか？「発言をする」というと、内気な子や恥ずかしがり屋の子にはハードルが高いもの。また、「間違ったことをいうとバカにされるのでは」と気にしてしまう子もいます。

今行っている柳沢ゼミでは、生徒は4、5人のグループになるようにしています。わかる子もわからない子も一緒になって、みんなで話し合います。それを次にクラスで発表します。すると、発言のハードルが下がります。

大人数を前にするとなると発言のハードルは上がりますが、グループで話し合うなど、まず少人数で話すことに慣れさせると徐々に克服できます。教室ではどうしても発言できなかったような子や、できるだけ目立たないようにしていた子も、「発言することはいいことなんだ」と思うようになります。

何より大切なのが、発言したことを「それ、面白いね！」「どうしてそんなことを考えたの？」と驚き、感心して一つひとつ受け止めてあげることです。

学校でこのような環境がない場合は、家庭で親が一つひとつ、子どもの発信に関心をもって受け止めてあげてください。

「何を話しかけても無視されたり生返事だったり、子どもがまともに答えてくれないんです……」という親御さんは、明石家さんまさんの受け答えを参考にしてみてください。この話を振ったらウケるとわかっているお笑い芸人さんには話を振って攻めるものの、話のプロでない人には攻めないで最終的にはさんまさんの自虐で終わる。

彼が人にどんなふうに話を振って、どう受け答えをしているのか？　そのやりとりはとても参考になります。

家庭でもぜひお子さんを、いい意味でいじってみてください。楽しい話を振ったり、子どもの受け答えにリアクションをしてみたりするといいでしょう。

私も学校では全員にスポットを当てるように心がけています。トーク番組はせいぜい10人程度だからできるのであって、これを教室で30人の生徒に向かってやるのは難しいですが、ＩＣＴを使えば可能です。生徒の発言をチャットで全部受け止めて、反応をします。

恥ずかしがり屋の生徒でも、チャットなら発言できる子もいます。こうすることで、発言のハードルを下げるのです。

思春期の子どもにも「ダメ」という言葉は不要

親のリアクションひとつで、子どものやる気はどんどん伸びていきます。子どもに「あれもダメ、これもダメ」と禁止するとやる気をなくすことはかなり知られてきましたが、どうしても子どもに何かアドバイスしたくなるとき、ありますよね。

そんなときに**効果的なのは、加点法でほめる言い方。**英語でいえば「YES，BUT？」の順番でほめることです。

やり方はシンプル。まずわかりやすく、ひと言でほめてから改善点を伝えます。

「それ、面白いね（いいね）。でもこうすればもっと面白く（よく）なるよ」

改善点を伝えるときはダラダラと長くしないことがコツ。アドバイスが長いと、言われたほうは結局、改善しなければいけないことばかり頭に残ります。せっかく最初にほめたのに、その効果がなくなってしまうのです。

「YES, BUT?」がなぜいいかというと、まず「YES」で受け入れているからです。この「僕（私）を受け入れてくれた」という感覚がとても大事で、その安心感から、子どもが自信をもち、アドバイスに対して聞く耳をもつようになるのです。

受け入れられてうれしいのは、子どもだけではありません。会社でも、自分のことを受け入れてもらえないことに悩み、傷ついて会社を辞めていく人がよくいます。一方で、自分の提案を上司が「それ、面白いね！」と受け入れてくれたら、部下はやる気がアップして、どんどん面白いアイデアを提案するようになるでしょう。

「YES, BUT?」で親に受け入れられてきた子どもは、大人になってもこの価値観をもち続けます。するとどんな相手でもいったんは異論を受け入れようと努力する姿勢が身につくので、人と対立することがなくなります。

「それもいいね！」の精神は、これからの多様性の時代に必須の力なのです。

「強制された勉強」は本人のためになるか

「馬を水辺に連れて行くことはできても、水を飲ませることはできない」

このようなことわざがあります。本人が必要としていないものは、たとえ周囲が強制しても身につかないという意味です。いくらうながしても勉強しようとしないわが子を前に、この言葉を思い出した親御さんも多いのではないでしょうか。

私自身は親に「勉強しなさい」と言われたことはありません。むしろ、病弱だったので「やめなさい」とは何度も言われました。読むなと言われても読みたくて仕方がなかったので、布団のなかで懐中電灯をつけて隠れて本を読んでいたくらいです。

これは自慢でも何でもなく、私にとって読書や勉強は〝好きなこと〟でした。勉強が好きで、本が好きで〝必要だった〟のです。だから強制される必要もないわけです。

それと同じように、人にはそれぞれ好きなことがあります。将棋の藤井聡太君にサッカーをやらせようとしても、それはムダなばかりか本人にとって有害なものです。

もし親御さん自身が、自分の親に「勉強しなさい」と言われて、喜んで勉強をした経験があるのなら、ぜひお子さんにもそうしてください。でも、私に言わせれば「勉強しなさい！」と言われて、喜んでやった経験がある人は一人もいないと思います。せいぜい自分の部屋にこもって、勉強するふりをしているか、イライラしているかでしょう。

「勉強しなさい」と子どもに言うのは、ネガティブな効果しかありません。 子どもに勉強をさせたくないなら、あえて言うのもアリですが（笑）。

また、いくら勉強をさせたいからといって、「今度のテストで〇点とったら、△△を買ってあげるよ」などとものでで釣るのは最悪です。勉強が自分の事柄ではなく取り引きの材料になってしまい、自分のためにするのではなく、〝勉強してあげる〟というスタンスになってしまうからです。

たしかに勉強は素晴らしいものです。ただしそれは、自分が必要と思ってやっている勉強に限ります。勉強は自らするものであって、けっして「してあげる」ものではありません。してあげる勉強からは、子どものためになるものは生み出されないのです。

「勉強しなさい」は百害あって一利なし

『勉強しなさい』といっても勉強をしないんです」

「少しも成績が上がらないんです」

このような声をよく聞きますが、そういった声がけをして成果が出ていないのなら、言い方を見直すことをおすすめします。

親に「勉強しなさい」と言われなかったことからも、私も子どもたちに「勉強しなさい」とは言いませんでした。勉強は楽しいものだと信じているので、機が熟して「自分には勉強が必要だ」と感じたらやるだろうと思っていたからです。

でも多くの人は、「勉強はすべきもの」「やらなければならないもの」「勉強は子どもの義務」と思い込んでいます。しかし、この強制される感じや義務感が子どものやる気を失わせています。

たとえば親が、子どもに、「1日3時間はゲームをしなさい！」「ゲームはやるべきものと決まっているの！」と強制したらどうでしょう？　学校でゲームが必修化され、ゲームの授業やテストがあり、成績がついて評価されたとしたら？

一部のゲーム好きな子は大喜びするかもしれませんが、そうでない子はドン引きして「ゲーム嫌い」になるかもしれませんね。

子どもが「楽しい」と思ったことは、何も言わなくても自分から進んでやるものです。親に言われなくても毎日自分からゲームをするのは、それが楽しいからですよね。

大人だって、「毎日会社に行って、しっかり働くのが君の義務だ！」「社会人なら、家族のためにしっかり稼ぐべきだ！」なんて言われたら、どういう気持ちになりますか？「そんなこと、人に言われてやってるんじゃないんだよ」などと反発したり、働くことが修行、苦行のように感じたりしてしまうのではないでしょうか。

子どもには、勉強しないと将来困るとか、他の人に置いていかれるなどと脅すよりも、知らなかったことを知る楽しさのほうを伝えてあげましょう。子どもが学んでいくなかで、「新しい知識が身につくのが楽しい」「知らないことがわかって面白い」という気持ちが芽生えれば、必ず勉強が好きになっていくでしょう。

親子関係を壊す中学受験、強くする中学受験

中学受験は、子どもが自信をつける素晴らしい機会だという意味で、わが子が挑戦できると判断できたらぜひ挑戦してみてください。12歳で大変な受験勉強を乗り越えて合格を勝ち取るという経験ができれば、圧倒的な自己肯定感につながります。なぜなら、中学受験に失敗はないからです。

中学受験ではいくつかの学校を受験し、そのどれかに受かれば「合格」という結果が手に入ります。もちろんそれまでに親子で話し合って、第1志望以外のどの学校も素晴らしいのだという共通認識をもっている必要があります。

中学受験の勉強をしている子のなかには、「受験をしないほかの子は遊んでいるのに、なんで私は勉強しなくちゃいけないの？」と思う子がいるかもしれません。

たしかに中学受験の勉強は楽ではないので、そう考えるのも当然です。それでも**努力し続けるモチベーションを維持するには、「憧れをどうつくるか」が重要**になります。

たとえば小さいときにテレビでカッコいい歌手を見て、「あの歌手みたいになりたい」と憧れて一生懸命に練習すれば、歌がうまくなります。それと同じように、中学受験にも憧れが必要です。中学校の文化祭で見た演劇の舞台に感化され、「この学校に入って演劇がやりたい」と思った、あるいは説明してくれた先輩がとてもやさしかったから、私もそうなりたいと思ったなど、「憧れ」は努力につながります。親ができる準備とは、憧れを見つける手伝いをしてあげることです。

「中学受験に失敗はないっていうけど、全部落ちてしまったらどうなの?」と考えるかもしれません。でも、中学受験のいいところは、公立校という必ず行ける学校があるところです。つまりセーフティネットがある安心感のなかで受験できるのです。

それには、事前に親子で「公立中学は、受験に落ちたら仕方なく行くところ」ではなく、「公立中学でまた頑張ろう」という意識を共有しておきましょう。

絶対にしてはいけないのは、第一志望に落ちたから、あるいは公立の中学に行くことになったからと、明らかに親御さんが落ち込んでしまうことです。口では子どもを励ましていても、心では親御さんの落ち込んでいる様子をとても敏感に感じ取るものです。

中学受験はどんな結果であれ、自己肯定感をアップさせるものだというゴールを忘れなければ、けっして親子関係を壊すものではありません。それどころか、親子の信頼関係を強くするものでもあるのです。

子どもの精神的な成熟度を見きわめる

では、どのような場合には中学受験をしないほうがいいと判断できるでしょうか。

たとえば親が中学受験をさせたいと考え、「憧れをつくる」という目的で中学の文化祭に子どもを連れて行ったが反応を示さなかった。このような場合はどうなのでしょうか。

第1章で「機が熟する」ことの大切さをお話ししました。その子にとってはまだ準備ができていない、ということです。精神的に幼い子は中学受験に向いていないとよくいわれますが、「精神的な成熟度」はその子のタイムスケールです。

タイムスケールは時刻表と言い換えてもいいですが、**子ども一人ひとりは自分の時刻表**

をもって生まれてくるように感じます。その時刻表は育つ環境や男女の違い、性格によっても異なるでしょう。誰一人として同じ時刻表をもってはいません。

ここでもほかの子と比べるのではなく、垂直比較が大切です。垂直比較でその子の1年前と現在を比べれば、必ず成長しています。それは肉体的にも、精神的にもです。

これをミツバチにたとえると、成長が早い個体はミツバチになってどんどん蜜を集めてくるでしょうが、成長が遅くてまだ幼虫の個体に「蜜をとってきなさい」と要求してもそれは無理な話です。蜜をとれないのは単に時期の問題で、やがてどのミツバチも社会の一員としておおいに貢献してくれるようになります。

いつどんなときに機が熟するのか、時が満ちるのかはわかりません。でも、出発のタイミングがきたら、ちゃんと走らせてあげられるように準備しておくことが大切です。

とはいえ、中高一貫のほうが大学受験に有利、高校から私立に入るのは難しいなど、親にはさまざまな情報が入ってきます。「中学受験をしないで、本当に大丈夫……?」と、子どもよりむしろ親が不安になってしまうでしょう。

そんなとき私の頭に浮かぶのは、「better selection under a given condition」という言葉

です。これは、「与えられた条件の下でよいものを選択する」という意味です。つまり、今自分が置かれている状況という制約がある。制約がなければ選べたかもしれないベストのものは選べないかもしれないが、その状況で比較して一番よいものを選び続けることが大事。時間を戻すことはできません。

たとえば、コロナ禍でさまざまな学校行事が中止になりましたね。中学高校の部活動はもちろん、大学の対面授業もサークル活動もできませんでした。でもただそれを嘆くだけでは仕方ない。その代わりに何ができるか、ベターな選択をしていくしかありません。

生きていくなかで、このような不条理な状況はたくさんあります。大事なのは、そのときそのときで自分が何を選び続けていくかなのです。

私は、「従容《しょうよう》として」という言葉が大好きです。「ゆったり落ち着いているさま」という意味ですが、どんなときでもあわてず騒がず、焦らない。どんな状況でも受け入れるしかない。

今の状況で何が最善なのかをいつも考えています。ベストな選択をし続ける人生というのはありえません。私たちは、**ベターな選択を積み重ねることで、よりよい生き方になる**

のを目指すべきなのです。

人間はいつでも、何度でも失敗できる

第1章でも少し触れましたが、今はポジティブのかたまりのようだと言われる私も、若いころはとても悲観的なタイプの人間でした。

大学受験に際しても非常に悲観的で、ナーバスになっていたのです。

私はとても勉強が好きだったものの、実家で大学受験を経験した人はいませんでした。兄は慶應高校から慶應大学に進学したので、受験勉強を経験していません。両親は下町で商売をしていたので受験の詳細を知りません。参考になる人も相談できる人もいなかったので、強いプレッシャーに押しつぶされそうになっていたのです。

そんなとき、偶然小学校6年生のときの担任の先生に会い、こう言って励まされたことで気持ちがスッと楽になりました。

「君は何歳まで生きるつもりだ？」。私はとっさに「70歳くらいですかね」と答えました。するると先生はニッコリ笑って、「そうか。大学に落ちたら71歳まで生きなさい」

大学に落ちたときの1年など、長い人生で考えればとるに足らないもの。チャレンジはいつでもできるし、人生いつでもやり直しができる――。先生の言葉により、心が一瞬で軽くなったことは今でも忘れられません。

何事もポジティブに、楽天的に考えること。深刻になりすぎないこと。**親御さんはつい、自分の子どものことは真剣に、悲観的になりすぎてしまうもの。**眉間にシワをよせて、難しい顔になってしまっていませんか？

もちろん、子どもはこの社会を生き抜くために努力をしていくべきですが、失敗したとしても、もう一度チャレンジすればいいだけのこと。「そのときそのときに、よりよい選択をし続ける」。この原点を忘れないようにすればいいのです。

ゲームもやり方次第で生きる力になる

「子どもが夢中になること、本気で好きなことに出会うことが大事」などとお話しすると、必ず親御さんから出てくるのが、

「夢中になることが、ゲームしかないんです……」

「ゲームばかりやっていて、ほかに興味がないようです」

というご相談を受けます。

あえて言いますが、ゲームはとことんやらせてみてください。そのうえで「それだけゲームが面白いなら、今度は自分でつくってみなさい」と伝えるのです。つまり、それだけ消費できる能力があるということは、ゲームをつくる資質があるということです。そこから、ゲームクリエイターという生み出す側になる可能性もあります。

「それだけ魅力があるなら、それを超えるものをつくってみたら？」

これに乗ってくる子は、プロ並みに腕を上げるかもしれません。あるいは、eスポーツ

の選手になる可能性だってあります。

ただゲームを消費するだけでなく、そこからパソコンでゲームをつくったり、プログラミングにつなげたりしていく。むやみに制限するだけでなく、ゲーム好きという子どもの資質を生かすことも考えるべきでしょう。

これからの時代、身近にコンピュータのない生活はもうありえないので、ゲームとうまくつき合うのは非常に重要なことです。学校でもプログラミングの授業があり、授業でiPadを使うのも珍しくありません。それを禁止しても何の意味もありません。それよりも「どうやってつき合っていくか」を考えましょう。

ただし、時間を管理する必要はあります。

開成の校長時代のこと。2月に中学受験が終わった子は4月の入学までするこ とがないため、昼夜が逆転するほどゲームに夢中になる子が出てきます。合格発表の後の説明会でお子さんには次のように話していました。

「朝、誰かに起こされなければ起きられないうちは、21時以降はスマホやゲームをやらないこと。ただし、自分で朝起きられるのであれば、自分の裁量でやってもいい」と。

朝きちんと起きるのは責任ある大人への第一歩。つまり、責任を果たせるのなら自由があるということを伝えたのです。これで、昼夜逆転する子は激減しました。

ゲームをやったことのない親は不勉強

子どもがゲームをやることにいらだちを覚えている親御さんがいたら、ぜひお子さんと一緒にゲームをやってみることをおすすめします。私は、親はゲームをできなくてはいけないとさえ考えているのです。

子どもが興味をもっているものを、親が一生懸命身につけようとする。この姿勢があると親子の会話が始まります。一緒にゲームをやってみると、「○○って面白いね」「今どのレベルまで行った?」など、話のきっかけができます。また、「これはどうやってやるの?」と、子どもに教わるのもいいでしょう。お子さんの年齢にもよりますが、きっと得意げに教えてくれるはずです。

さらに、親がゲームをやることで、子どもがハマっているゲームの背後にある危険性に気づけるというメリットもあります。次から次へと課金が必要になるゲーム、過激な内容を含むゲームをやっていないかどうかもわかります。

子どもが夢中になってゲームばかりをしているのは、その子にとって今まさにゲームの機が熟しているということであり、それが行動として表れているのです。

私はもともとシステムエンジニアでしたから、息子と一緒にゲームをつくったこともありました。なかなか動きませんでしたが……。あるいは、ゲームから、パソコンに興味をもつこともあるかもしれません。**ゲーム＝悪と決めつけずに、そこにちょい足しをして親が望む方向にもっていけるとベター**です。

マンガは読書する力をつけるのに最適

マンガも大いに読ませてください。

「本は読んでほしいけれど、マンガはちょっと……」と思う方が多いかもしれませんが、マンガは文字に対するいい教育の道具になります。テレビやYouTube動画は与えられる一方のメディアですが、マンガは自分でページをめくって読まなければなりません。そこには、文字だけではイメージしきれないものが絵として描かれています。そこで、文字という抽象的なものと絵という具象的なものがつながるのです。

文字というものはとても抽象的なもの。文字も慣れれば具体的なことをイメージできるのですが、具体的なものをイメージしやすいのは圧倒的に絵の方でしょう。**文字を読むのが苦手な子どもほど、最初はマンガから入った方がいい**のです。

マンガにももちろん文字が書いてありますから、マンガを読んでおけば、文字を読むことへの抵抗感が薄れてきます。マンガばかり読んでいるとしても、準備が整えば自分の興味にしたがって本を読むようになるはずです。

また、もし本を読ませたいなら、自分で選ばせることも大切です。自分で選ぶ喜びを子どもに与えてあげましょう。小さな子どもでも、自分で絵本を選ぶという経験をさせておくと、本というメディアへの親近感をもたせることができます。

小学校以上のお子さんなら、自分のお金をもたせて選ばせることです。私はボストンに住んでいるとき、2カ月に一度ニューヨークの書店に息子二人を連れて行き、それぞれに20ドルを渡して本を選ばせていました。選んでいたのは全部マンガでしたが、それはそれは真剣な様子。税金まで計算して20ドルで買える本をああでもない、こうでもないと二人で探し、2時間くらいかけて真剣に決めていました。自分で選ぶから楽しいのです。

今は6歳の孫に、お年玉がわりに図書カードをあげています。現金だといくら使ったかわからなくなってしまいますが、図書カードだと6歳の子どもでも、いくら使ったかわかります。やはり書店で真剣に本を選んでいるようです。

勉強ができることはたくさんある価値のひとつ

40年連続で東大合格者数トップの開成中高の校長を9年間務めていたため、今まで数えきれないほど勉強についての取材を受けてきました。

私は在任中、一度も生徒に東大への進学をすすめたことはありません。東大合格者数トップを目指したわけではなく、開成が最高の教育機関だといわれる学校にしたいと努力をしました。最近では、日本の大学から大学院に留学するのではなく、海外の大学に直接進学する生徒が増えています。東大合格者数にこだわっていたら、このようなことにはならないでしょう。開成の教育がうまくいっている証拠です。

私が大切にしてきたのは、中等教育の間に、子どもの価値観を少し変えてあげることでした。開成中学に入学する子は学業がとりわけ得意な子ばかり。当然、ほとんどがトップの成績をとってきた子で、勉強には自信をもっています。それでも、1クラス約40人の生徒で定期テストをやると、当然ながら必ず1番から末席まで順位がつきます。人生で初めて「末席」あるいは「平均以下」を経験する子もいるでしょう。

もしそこで勉強だけを評価の基準にしていたら、その子はつぶれてしまいます。ですから、あらゆる場面で**勉強ができるのは素晴らしいことだ。でも、それはこの世の中にたくさんある素晴らしいことのひとつにすぎない**と伝えていました。ぜひご家庭でも同じように、親御さんがことあるごとに伝えてあげてください。

「自分の得意なことや優れていることはほかにあって、それも勉強と同じくらい素晴らしい、価値のあることだ」

そう刷り込んであげると、子どもは自分の個性に合った道を選択できます。親が勉強ができることだけに価値を置いてしまうと、その子が本来もっている個性や才能をつぶすことになってしまうのです。

どんな分野でも「オタク」こそ素晴らしい

開成の卒業生で今でも記憶に残っているのは、小学4年生のときに文化祭を見学して、大道芸やサーカスで見られるジャグリング部の芸に魅せられたという子です。

文化祭を見てから生活態度がガラッと変わり、受験まで一心不乱に勉強に打ち込んだそうです。入学してからは、朝7時に登校して授業開始の8時10分までジャグリングの練習。中学のジャグリング大会でも高校の大会でもチャンピオンになり、なんと在学中に全日本のチャンピオンになりました。

ものすごく授業に集中していたのが印象的で、「授業時間以外は練習にあてたいから、授業は集中して聞くんです」とのこと。授業以外では勉強をしないそうです。

その後、慶應義塾大学に進学しましたが、自己紹介のときや、初対面の人と仲よくなるときにジャグリングが役立つそうです。お手玉を6つポケットに入れておいて、ちょっと芸を見せれば誰でも自分のことを覚えてくれる。彼はジャグリングを武器にしたのです。

そのほか、指揮者として活躍されている方もいます。その子は小学校時代、休み時間にずっとタクトを振っていて、変わった子だと思われていたとか。

また、テレビのクイズ番組などで活躍している伊沢拓司さんも開成時代、クイズ研究部でクイズにのめり込み、今はクイズだけでなくコメンテーターとしても活躍していますね。

彼らはみんな「オタク」ですが、開成にはオタクが浮かない雰囲気があるのです。彼らの親御さんがもし、勉強以外のものに価値を置いていなかったら、「そんなムダなことはやめなさい」と言っていたかもしれません。

オタクとは〝何かに突出している人〟。これからは、そういった「自分にしかできないもの」をもった人が活躍する時代です。

自分が夢中になれること、集中できることに価値を見い出せれば、人と比べて悩んだり落ち込んだりする必要はありません。それはどんな小さなことでもいい。文化祭で実行委員をやることでも、応援団でも、誰より鉄道に詳しい、手品ができる、マンガのことなら何でもわかるなど、どんなことでもいい。

「自分はこの分野では活躍できる」といった自信や確信があれば、その後の長い人生を下支えしてくれるのです。

たしかに、子どもについ多くを求めてしまうのは、親であれば仕方のないことかもしれません。

「とにかく全教科で平均点以上はとってほしい」

「学年順位の上から10％に入ってほしい」

などなど、親は実に勝手な希望をもっていますね。

日本の教育はいまだに教養主義で、すべての教科が満遍なくできるほうがいいとされています。でも、もう社会では「オールマイティ型」が求められていないことは、社会で働く親御さん自身もよくわかっていることでしょう。それなのに、子どもには「平均点をとること」を求めてしまうのです。

平均点以上を求めてその通りになったとしたら、その子がもっている得意な部分は埋没してしまいます。**学校では〝すべてをそつなくできること〟が重要視されてきたのに、社会に出るとそうではない。**社会人になってそのギャップにとまどう人がどれほど多いか。

社会に出て大切なのは、「何ができるか」です。その「何か」はひとつだけでもいい。その技術が十分優れていれば、生活の糧を得ることができます。

英語が飛び抜けてできるけれど、数学ができない子に対して、「英語はできるんだから、今は数学をやりなさい」などと親の価値観を押しつけるのは考えものです。子どもを型にはめてしまえば、伸びる芽も伸びなくなってしまいます。その子の得意なところ、好きなところを見つけ、それを引き出すことが親の仕事なのです。

子育てのゴールは社会で役立つ人間にすること

私自身、実は子どものころは体が弱く、小学校には1年遅れで入学しました。小学校では授業も休みがちで、兄が通っていた慶應義塾大学付属中の入試には不合格。たまたま開成中学を受験したら合格したという感じでした。当時は都立高校全盛の時代で、開成はまだ東大合格トップ校ではありません。

中学では物理部に入部。今でいうスマホのようなトランシーバーをつくりたかったのです。アマチュア無線の免許も在学中に取得しました。生徒会活動や文化祭準備委員会では委員長になり、リーダーシップを学びました。勉強はその合間にやっていて、当時は将来、教師になるつもりでした。

理系が得意だったので、早稲田大学理工学部と東大の理科一類を受験。両方受かりましたが、あまのじゃくだった私は、東大を蹴って早稲田に入るつもりでした。ところが商売人だった父に、「これを好きなことに使いな」と20万円の小切手を渡されたのです。早稲田の入学金と1年間の学費にあてれば消えてしまいますが、東大に入れば自分の好きなことに使える。それで東大に入ることにしたのです。

大学を卒業してシステムエンジニアとして就職し3年目、百貨店で開かれた「水俣病」をテーマにした写真展へ出かけたのをきっかけに人生が変わります。会社を辞め、東大の大学院に戻って環境汚染、公害の研究をしようと決意したのです。

周囲の大反対を押し切り、開成の近くに学習塾を開いて収入を得ながら、大学院に通いました。この塾は開成の生徒に大変評判がよく、人生で一番儲かった時期かもしれません(笑)。大学院でも成果を上げましたが、経済成長期だった当時の日本で公害の研究はタブーだったため、アメリカに渡ることにしました。

アメリカではハーバード大学公衆衛生大学院の研究員から始め、日本の研究機関や東大との併任期間を合わせると合計18年間をすごしました。在任中はベストティーチャーにも数回選ばれました。そして2011年から開成の校長を務め、2020年からは北鎌倉女子学園の学園長になっているというわけです。

なぜ長々と私の経歴を話したかというと、開成から東大卒業後、コンピュータのシステムエンジニア、大学院、東大、ハーバードなどでの研究と教育、校長職とエリート街道まっしぐらのような私の人生も、実際は紆余曲折があり、**けっして大学入学がゴールではなかった**とお伝えしたかったからです。

そのときどきでやりたいこと、できることが変わり、目標も変わる。社会人になってからやりたいことが見つかり、方向転換することもある。自分がそのときできることで収入を得ながら、やりたいことを続ける。これが生き抜く力です。

これを読んでいる親御さんも、わが子のゴールは大学受験ではなく、社会に出て役立つ大人になることだと肝に銘じて、お子さんを見守ってあげてください。

第4章

わが子を自律した人間にする方法

子どもの「好きなこと」は変わるもの

充実感、幸福感のある人生を送るには、好きなことをどれだけ自分の仕事に食い込ませることができるかが重要です。仕事は人生の重要事項ですから、そこでの好きなことの割合が高くなればなるほど、人生が心地よくなります。これが大前提。

それをふまえたうえで、稼ぐための具体的な職業は時代とともに変わることも心得ておいてください。つまり、その時代に合った職業を見つける必要があるのです。好きなことは野球かもしれないし、水泳かもしれないし、ゲームかもしれない。

いずれにしても、**好きなこと、ハマっていることに対する努力は苦にならない**はずです。

ただし、子どもの好きなものは実によく変わります。

「小さいころは電車が好きだったのに、今は見向きもしないでゲームばかり」

「小学校ではサッカーを頑張っていたのに、今はバスケ漬けの毎日」

このようなことはよくあります。そんなとき、親はつい固執してしまい、「あれだけ好きだったのに、あんなに頑張ったのにもったいない」「ずっとやり続けることが大事なのに、もうやめちゃうの？」などと思いがちです。でも、「新しい好みが見つかったんだな」と温かく見守ってあげてください。

子どもは知識量、経験量が乏しいので、今まで知らなかった新しいものに日々出会います。その知らなかった新しいものが魅力的であれば、今まで好きだったものが色あせて見えるのです。好みがコロコロ移り変わるように見えても、よく観察すると、どんな分野に興味や関心があるのかという傾向が見えてきます。

〝私はこれができます〟という武器をもつ

これから10年後、20年後を生きていく子どもたちに何が必要かといえば、それはたったひとつ、「私はこれができます」というものをつくること。それを見つける手助けをするのが親の仕事です。前章でもお話しした通り、「子どもが好奇心や興味を示した事柄をうまく吸い上げること」が重要になります。

もっとわかりやすく言えば、**子どもがハマるものに出会ったら、迷わずとことんやらせるようにしましょう。**それには、まず子どもの「好き」を見つける手伝いをすることです。子どもが何かに好奇心や興味をもっていたら、何をしているのかをよく見てください。たとえば車や電車のおもちゃで遊んでいたとしても、乗り物が好きなのではなく、車の構造を観察するのが好きなのかもしれませんし、ものを組み立てたり、分解したりするのが好きなのかもしれません。あるいは頭のなかで車や電車を運転していて、それが楽しいのかもしれません。そのとき、「○○をしているときは楽しそうだね」「○○が好きなんだね」と声をかけてみてください。

子どもは「ああそうか、自分は○○が好きなんだ」と意識するようになり、将来の仕事に結びつくかもしれません。

第1章で、「これからの時代、ジェネラリストは死に絶える」と話しました。終身雇用のなかでしか通用しない経歴があったところで、これからの時代は生き抜けません。

その裏づけとなるのが、「同一労働同一賃金」。同じ職場で同じ仕事をする正規雇用の従業員と非正規雇用の従業員がいる場合、その待遇格差や賃金格差をなくすという考え方です。２０２０年４月から全国の大企業で一斉に施行され、２０２１年４月からは中小企業にも適用されました。

極端な例ですが、パートタイムで働く人と、その５倍の給与をもらう正規雇用の部長がいたとします。仕事内容が「コピーをとる」というものだけだったとしたら、アルバイトが１枚コピーをとるのに対して、部長は５倍の速度でコピーをとらなければなりません。つまり、部長として本来やるべき仕事がきちんとできていなければ、それだけの給与を受け取ることができない時代になります。

同一労働同一賃金になると、賃金のバランスをとるために正社員の給与が下がります。正社員のなかでも、たとえば総務課のようなジェネラリストの多くいる部署の給与が下がるのです。日本にはまだ、北米のようにレイオフ（一時解雇）をするという文化はありませんが、近い将来、企業の業績悪化がレイオフに直結するようになっていくでしょう。

新型コロナウイルスの影響で、「自分は何ができるか」を売りにしなければ生きていけない時代は、すぐそこまできています。

「私はこれができます」と言えるものをもつことは、手に職をつけることだと言い換えられます。つまり、**自分の専門性に磨きをかけて、お金を出してもらえる「スペシャリスト」になること**です。一生懸命学校の勉強をして、偏差値の高い学校に行き、誰もが知っている有名な企業に就職することがゴールではありません。

この章のタイトルにある「自律」は、これまで本書で使ってきた「自立」とは少し意味が異なります。自律とは、自分の行いを主体的にコントロールすること。わが子が単に自活するだけでなく、規律を持って生活を組み立て、自分の意志で人生の諸問題に立ち向かえるようになる。それこそ、親が目指すべき子育てのゴールではないでしょうか。

「好きなこと」に関連する仕事はいくらでもある

「手に職を」「スペシャリストになれ」といっても、職人でなければいけないとか、特別な技術が必要だと言いたいわけではありません。

また親御さんのなかには、「好きなことだけでは食ってはいけない」と思う人もいるでしょう。もちろん、好きなことがそのままストレートに仕事につながることは少ないかもしれません。でも今は、親御さんの世代より職の幅が広がっています。子どもが好きなことと、それに関連した職業を柔軟に見ていけばいいのです。

たとえば絵が好きな子がいたとしたら、昔は画家か美術の先生くらいしか思い当たる職業はありませんでした。でもアニメが日本の一大産業になった今は、イラストレーター、アニメーター、CGクリエイターなど、仕事は細分化しています。そこからさらに広げて、海外へ日本アニメを紹介するプロデューサーなども視野に入るでしょう。

そもそも私たち大人の職業のとらえ方は非常に狭いので、**これから先、私たちが想像もつかない絵にまつわる仕事ができる可能性は大いにあります。**ユーチューバーだって、以前では考えられない職業ですよね。

また、サッカーが好きな子がいたとして、ワールドカップに出るようなサッカー選手になることは難しくても、好きなサッカーにかかわる仕事はいくらでもあります。たとえば、プロのサッカーチームの職員や経営者になってもいい。あるいは医学部に入学してスポーツドクターになり、選手の体のメンテナンスをしてあげるのもいい。さらに海外で契約する選手の顧問弁護士になって海外に行く選手の契約のアドバイスをする、マスコミの仕事をしてスポーツジャーナリストになる、体育の先生になって次世代の選手を伸ばす、エンジニアになってゴールのビデオ判定のシステム開発をする、などなど。広い視野をもてば、好きなことにかかわる仕事はいくらでもあるのです。

ダイレクトに好きなことではなくても、「好き」に関連する分野を考えたほうが長続きする仕事につけます。何より、自分の人生のなかに「好き」の要素を入れることができれば、人生を豊かに、楽しくすることができます。

好きなことを仕事に近づけると言うと、「どんなに好きなことでも、それが仕事になってメシを食っていかなければならないと思うと、楽しくなくなってくる」という人もいます。たしかに、昔から「趣味は仕事にしてはいけない」という格言めいた言葉もあります。

でも私から言えば、それは本当に好きではないのかもしれません。

趣味はあくまで仕事の息抜きだというのもひとつの考え方でしょうから、自分の職業と息抜きとしての趣味を分けて考える人もいるでしょう。

ただし、自分の人生は自分がリーダーシップをとって自律的に、主体的に生きなければ実のあるものにはなりません。一度きりの人生では、多種多様な選択肢からひとつのことを選択する必要があります。これは自分で決めるしかありません。誰かに見つけてもらったり、選んでもらったりしていては、人生が成り立たないのです。

大切なわが子の人生だからこそ、後悔のない選択をしてもらいたいものですね。

好きなことだから努力できる

たしかにお金を稼ぐのは甘いことではありません。だからイヤなことでも我慢して、歯を食いしばって、苦手なことでもたくさん努力して身につけて、乗り越えていく。また、これからは働く環境がますます厳しくなっていくから、稼げる職業につけさせてあげたい。

そんな考え方が身についてしまっている親御さんも多いため、「子どもの選択に任せてはいられない」となるのでしょう。

ただし、こうも言えると思います。仕事をして生き残り、それなりのポジションを得るためには、全身全霊でやるしかありません。そして全身全霊でできること、努力が苦にならないことは、やはり「好きなこと」であると。

これから長く働き続ける時代が来ます。定年が70歳になるのもそう遠くないでしょう。その代わり、50歳以降は昇給がなくなる可能性があります。また、プロスポーツの世界のように、ＦＡ（フリーエージェント）という制度が導入されるかもしれません。これからの時代、他の会社と自由に契約を結ぶことができるＦＡという制度は合理的です。責任あるポジションや仕事には、成果に基づいたリターンがあるというイメージです。

一方で一般的な業務作業のような、ローリスク・ローリターンの仕事を選んで無理せず働くという選択も当面はありえます。ただし、ＡＩが進展するにしたがって、こうした作業は減っていくことになるでしょう。

今もこれからも、競争に勝たなければ満足できる収入は得られません。優れた人間がいい給料をとることは、経済合理性から考えれば当然のことです。そのときに競争に勝てるようにするには、努力をするしかありません。

ここで冒頭の話に戻りますが、だからこそ今の子どもは努力し続けられる分野に自分を置くことが大事なのです。**苦手なことをイヤイヤやっていたら、努力し続けることなどできません。**であれば、努力できることをやるのが得策です。職業というのは、好きなことの延長線上にあるものなのです。

学力の高さしか認めなかったら

もし、親が学力の面でしか子どもを評価しなかったらどうなるでしょうか。

勉強以外にも、スポーツや芸術分野が得意、小さい子の面倒を見るのが得意、手先が器用、お手伝いをよくしてくれるなど、挙げ出したらいい面はいろいろあります。

それを評価してあげなくてはいけないとわかっていても、どうしても「学力」が一番の関心事になってしまう、そんなとき、親はどう頭を切り替えればいいのでしょうか。

何度も話しているように、「偏差値が72あります」「東大に受かりました」だけでメシは食えません。自分のなかで培った力量で、何ができるのかが大事です。

「学力（偏差値）第一主義」の親御さんは、自身の価値観をガラリと変える必要があります。そのうえで、第2章でも触れたように「勉強ができることは、素晴らしい価値のうちのひとつにすぎない」と子どもに伝えるべきです。たとえば国語や英語や数学が全部できたとしても、それだけでは職業にならないよ、ということです。

ただし、**学校で習うことをちゃんと知っていると生きていくのに便利**だよ、ということは伝えてあげてください。たとえば数学ができれば住宅ローンの計算ができます。元利均等返済と元金均等返済の違いもわかるかもしれません。あるいは、社会科の歴史や公民がわかれば、経済関係の事柄もよく理解できるでしょう。

「教える」ということの本当の意味

「教える」ということの本当の意味を勘違いしている親御さんも多いようです。

中学生になっても熱心に子どもの勉強を見るという方も多いようですが、教えるとは大人が子どもに対して知識を投げかけることではありません。**子どもから発せられた疑問をしっかり受け取り、的確に返事をするのが教え**です。

つまり、主体は常に「成長する側＝子ども」にあります。子どもが自ら疑問をもち、働きかけてくるのを待つ。成長する側が疑問に感じ、それを知りたいと思うこと、それが何度も話している「機が熟した」ということなのです。

後でも先でもない、「今」知りたいことを教えてあげる。大人は、そのとき聞かれたことに対してできる限り答えてあげればいいのです。

親心から、「これは大事なことだから、今のうちに知っておいたほうがいいよ」と**聞かれてもいないことを教えても、機が熟していなければ吸収することはできない**でしょう。子どもが〝今〟知りたいと思ったことを教えてもらって初めて、スポンジのように知識を吸収することができるのです。

ただ、親としては「これはぜひ教えてあげたい、知っておいてほしい」ということがあるのも事実です。それには「えさ」をまいて、誘導してあげればいいのです。思春期の子どもなら、たとえば「○○が結婚したら、夫婦別姓がいい？ それとも名前が変わってもOK？」などと、その子が自分事として考えられるように問いかけるのです。

もちろん、そこから会話が始まればいいですし、反応がなければ無理に後を追わない。そのくらいの気持ちで声がけをしてみましょう。

この「えさまき」は、子どもの「好き」を見つけ、広げてあげるためにも使えます。親は要所でいろいろな「えさ」をまいてあげるのです。

それには、多くの経験をさせてあげることが一番ですが、それは習い事を増やすということではありません。日常生活のなかでも、えさをまくことは十分にできます。

やり方は簡単。前項でも話したように、いろいろと問いかけてみるのです。

たとえば生活のなかで、「冬は冷たい手を温めるために息を吹きかけるけど、熱いお茶を冷ますときにも吹くよね。なぜだろう？」「温かいお風呂に入るとなんでホッとするんだろう？」などと問いかけてみます。

あるいは一緒に家事をしながら、「温泉卵はなぜ黄身だけ固まるんだろう？」「なんでこんなにたくさんの種類の洗剤があると思う？」と問いかけてみます。もちろん、「さあ？」

としか返事がこなかったり、下手したら無視されてしまったりするでしょう。

それでもいろいろなことを投げかけ、子どもが少しでも目を輝かせた分野があったら、それが「好き」に通じる可能性があります。

えさまきは子どもの年齢が低いほど効果があります。幼い子どもは、自分が何に興味があるかまだわかっていないですし、知識も少なく、世界も狭いからです。そのなかで「これは面白い！」とハマることはいくらでもあります。

成長するうちに子どもは自分が好きなこと、得意なことを勝手に見つけていきます。それに合わせて、問いかける内容を変えていきましょう。

盲目のピアニスト辻井さんへの「ちょい足し」

前述した「ちょい足し」がうまくいって見事に才能を開花させたのが、ピアニストの辻井伸行さんです。辻井さんは生まれつき目が見えませんでしたが、お母さんは小さいときからコミュニケーションとして音楽をとり入れていました。

伸行さんが赤ちゃんのころのことです。お母さんは、ショパンの『英雄ポロネーズ』を流すと全身でリズムをとっていることに気づきました。そのリズムが、音楽とぴったり合っていたそうです。

ところがあるとき、そのCDが壊れたため違う演奏家の同じ曲を流したところ、今度は反応しなくなってしまった。まさかと思い、以前のCDと同じ演奏者のものを聴かせると、伸行さんは同じように喜びました。そう、伸行さんは演奏者を聞き分けることができていたのです。もしお母さんが、「赤ちゃんだから同じ曲に飽きてしまったのだろう」とあきらめていたら、そのことに気づくことはなく、ただ音楽を聴くのが好きな子どもというだけだったかもしれません。

その後も自宅でピアノの調律をしていたら、調律の音に合わせて伸行さんが声を出していました。しかもそれが、調律師さんいわく、調律師さんが叩く音と同じ音域の音だというのです。

伸行さんは幼いころから音に対して非常に敏感で、掃除機や洗濯機などの生活雑音が鳴り出すと激しく泣き出していたそうです。それだけ聴覚が鋭かったからなのですが、育てているお母さんからすれば、泣きたいほどのことだったでしょう。

もし伸行さんの聴覚の敏感さを短所としてとらえ、「育てにくい子」だと決めつけてしまっていたら、伸行さんの才能に気づかないばかりか、個性をつぶしてしまっていたかもしれません。

そこからお母さんは、伸行さんに「ちょい足し」をしていきます。積極的に外に出し、キャンプやスキーなどに出かけ、大自然にたくさん触れさせるようにしたのです。そしてお父さんやお母さんの言葉で、たくさん「美しい色」を伝えたといいます。「本物」に触れさせるようにしたのです。

伸行さんが興味をもったことは全部やらせ、最終的に本人がピアニストへの道を選びました。このような「ちょい足し」が親の子育ての能力であり、親ができることなのです。

大人は自分の経験から、どうしても子どもに安全な道、転ばない道を教えてしまいがちです。でも、それは本当に安全な道なのでしょうか。親の価値観を押しつけるより、**子どものやりたいこと、好きなことをやらせて自分の力で歩けるようにしたほうが、「危険」**

を回避する近道なのではないかと考えます。

「ちょい足し」はいつからでもOK

子どもが小さいうちはこの「ちょい足し」も素直に受け入れてくれますが、思春期前後の子どもの場合はどうでしょうか。

親の「教育をしてやろう」「子どものためになることをしてあげよう」という魂胆や意図を敏感に感じ取り、拒否してしまうのではないかと思うかもしれません。

でも私に言わせれば「ちょい足し」は、「教育」ではなくて「紹介」です。

たとえば、国立博物館や科学博物館があることを教えてあげることは、魂胆でも何でもなく、子どもに情報を伝えているわけです。「こういう世界もあるんだ」とわかればそれでいいし、**子どもの頭をよくしようという親の下心が透けて見えたとしても、それはそれでいい**ではないですか。

親の下心だろうと何だろうと、子どもが「自分の好奇心をどんどん発揮すると、世界が広がるんだな」と実感できればいい。そのことによって面白いことがどんどん増えて、生きる力がついていくのです。

ある意味、子どもにとっても下心は必要です。下心は生きるための力だと言い換えてもいいでしょう。勉強でさえ、数ある下心のうちのひとつなのです。

型にはめる教育が〝小型人間〟をつくる

ジェネラリストはもう企業に必要とされないことは前述しましたが、長らく日本の教育は「平均的に何でもできる子」を育てようとしてきました。

だからこそ、家庭では「苦手なことでも頑張ってやりなさい」「好きなことばかりやっていても、生きていけない」などと注意してきたのです。

しかし、もうそんな時代は終わりました。

親の理想像という型に当てはめようとすると、子どもは怒られてばかりになってしまいます。型からはみ出ようものなら注意され、人と同じようにせよと言われ、尖った個性はならされ、なかったことにされてきたのです。

このような型にはめる教育をすると、自分の知っている範囲内で子どもが育ってくれるため、ある意味で親に安心感を与えます。たしかに「はみ出さない」「余計なことはしない」ように育てれば、人様から注意をされることもないでしょう。

でもそれは同時に、**自分より小型の人間をつくることにもなります。**もし各家庭でこのような子育てを行ったとしたら、親世代より小型の、似たり寄ったりの人間がたくさん出来あがるだけではないでしょうか。

人に迷惑をかけない大人になること、社会的にそれなりの評価を受け、後ろ指をさされないように成長することは、そんなに大切なのでしょうか？

それより重要なのは、親がこの世から去った後も子どもが自分の足で立ち、メシが食える自律した人間になることです。親の役目は究極、これだけなのです。

そのためには、何度でもお話ししますが、子どもを型にはめず、子どもの素質を伸ばすことしかないのです。

〝生活実感〟が将来の生きる力につながる

コロナ禍でリモートワークが促進され、親が家にいることが増えました。そういう意味において、家族関係や夫婦関係を見直す大きなきっかけにもなっています。

たとえば、今やほとんどの夫婦が共働きですが、日本ではいまだに妻が家事をする時間は男性より圧倒的に長い。でも、これから求められるのは〝家事ができる男〟です。お子さんが男の子だろうと女の子だろうと、家事をたくさんやらせるようにしましょう。

子どもに炊事、洗濯、料理などの家事をさせることは、「勉強しなさい」よりも大切です。そもそも親は、子どもが中学生になったら勉強を教えてはいけません。子どもが中学に入学したら、勉強の話は一切放棄しましょう。教えるなら勉強より家事です。

人間が生きるうえで必要なのは、お金を稼ぐことと家事をすること。これだけだといっても過言ではありません。

ぜひ子どもと一緒に家事をやってください。**生活実感のなかで得られる知識は、将来の生きる力につながります。**特に男の子に家事を抵抗なくやらせるには、父親が家事をやっている姿を見せることです。

家事はやってもやっても終わりがないもの。でも、家事はハマると面白い。

子どもに家事を手伝わせると、家族の一員として役に立っていること、やるとほめてもらえるということにつながり、それだけで自己肯定感が上がります。子どもをほめるのがどうも苦手だという親御さんは、ぜひ家事を手伝わせてみてください。ごく自然に、「ありがとう」「助かったよ」とほめることができるでしょう。

実は家事は勉強の下地づくりにも最適です。たとえば洗濯にも科学があります。「なぜ洗剤を入れるとキレイに洗えるのか」を調べるだけで科学の本質に触れられます。そこから、「シャンプーで髪を洗うだけだとパサパサするのに、リンスを使うとなぜしっとりするのか」という話もできます。

よく「水と油」と言いますが、水につきやすい性質と水をはじきやすい性質をうまくつなげるのが洗剤の役割です。洗剤のこのような性質をもつ物質を総称して界面活性剤といいますが、シャンプーは髪から油汚れをとり、リンスは油汚れがとれた濡れた髪に水の分子を運んで表面に脂成分がくっつきやすい状態にします。だからリンスをすると髪の毛がしっとりするのです。

もちろん、親がこのようなことをスラスラ答えられる必要があるわけではありません。子どもに疑問を抱かせて、一緒に調べればいいのです。このような生活に密接した事柄に疑問をもち、探求する力こそがこれからの人間には求められています。

料理は「学習」と「自立」を同時にうながす

私自身も家事は好きで何でもやります。特に料理が好きなのですが、化学の実験より簡単です。化学ではミリグラム単位で細かく計量して溶液をつくらなければなりませんが、料理では味見さえしっかりやれば目分量でも成功するからです。私は仕事で疲れたときもキッチンに立ちます。野菜を切ることはいい気分転換になるのです。

料理には、学習と実生活に生かせるネタがたくさん詰まっています。

たとえばハンバーグのタネをこねた後、最後に手のひらで空気を抜きますね。そのとき「なんで空気が入るとハンバーグのタネが割れちゃうと思う？」と聞いてみます。閉じ込められた空気が膨張するからなのですが、こんな話をするだけでも楽しい会話になりますし、もし学校の家庭科でハンバーグをつくることがあったら、今度は子どもが得意げに説明するでしょう。

また、「この卵焼きを家族４人が同じ大きさになるように分けてね」と頼めば図形の勉強になりますし、レシピを見ながら「このレシピは２人分の分量で書いてあるけど、３人分だとお砂糖は何グラム？」と聞けば、単に計算問題をさせるよりはるかに身につく学習になります。**教科書や参考書に書いてあることだけが勉強ではない**のです。

しかも料理のいいところは、おいしく食べられるという結果がついてくること。おなかがすいていれば、喜んで手伝ってくれるでしょう（笑）。

何より料理ができることは、一人暮らしをするときにとても役立ちます。

私は子どもが18歳になったら一人暮らしをさせることをおすすめしていますが、特に一人暮らしを始めた最初のうちは経済的な余裕がありません。毎日外食というわけにもいきませんから、自炊をすることになるでしょう。

自炊ができないと、毎日コンビニのお弁当やカップラーメンばかりになってしまいます。ごはんが炊けるだけでも、レンジでお弁当を温めるだけの食事とはまったく違います。

料理をすると、洗い物や後片づけという作業も必ずついてきます。それも含めて、お子さんが自分一人でできるように教えてあげてください。それまで黙っていても親御さんにやってもらっていたお子さんには面倒かもしれませんが、それが生きていくということ。

「ごはんがつくれないから、一人暮らしなんてできない」

(一人暮らしをしてから)「今日もコンビニ弁当だった……」

などと子どもに言わせないよう、自然にキッチンに立つ習慣をつくってあげてください。

料理とプログラミングは基本的に同じもの

2020年から小学校でプログラミング教育が必修化されましたが、料理はプログラミングの学習にも効果的です。

というのは、料理とはまさに「段取り力」だからです。たとえばごはんを炊きながら野菜を切って、野菜を切っている間に鍋に水を入れてお湯を沸かしておく。このような同時並行処理が必要です。

プログラミングを簡単に言えば、段取りをコンピュータがわかる言葉で書くこと。「最初にこれをやって、次にこれをやり、その間にこれをやって」という工程を効率的に配置し、コンピュータがわかる言葉で命令書を書き、コンピュータに仕事をさせるというものです。料理も論理的に段取りを立てなければ、狙った味を出し、ムダなく調理時間内につくることはできません。

つまりわざわざプログラミング教室に通わなくても、**工夫次第で日常生活でもプログラ**

ミング思考を身につけられるのです。段取りよく料理をつくることができれば、それがまさにプログラミング。ほめるときにそう伝えてあげれば、プログラミングに対する苦手意識があったとしても払拭することができるでしょう。

それができるようになったら、次はお子さんに料理のレシピを書かせてみましょう。ひとつの料理だけではなく、ふたつかみっつの料理を組み合わせた一食の献立として書くのがコツ。少しハードルが高いですが、どういう手順でつくると一番時間を節約できるかという視点でレシピが書ければ、プログラミング能力を伸ばすことができます。

プログラミングというといかにも難しそうで、理系でなければ難しいのではと思いがちですが、プログラミング教育とはプログラマーを養成するための教育ではありません。物事を論理的にとらえて、それを手順よく説明したり、理解できたりすれば十分なのです。入り口を料理の段取りにすれば、親しみをもって学ぶことができるでしょう。

家事をすると「並行処理」の概念も学べる

家事は同時進行で行うものが多いため、頭を使って時間を有効に活用する必要があります。つまり、**家事をすることでタイムマネジメントも身につく**のです。

洗濯をするときは、終わるまで洗濯機の前でずっと待っていることはありませんよね。その間に料理をしたり、掃除をしたり、あるいは他のことをしているはずです。それ以外にも、お米を30分ほど水につけてから炊飯器のスイッチを入れる、1時間後にお風呂に入れるようにセットしておくなど、時間を逆算する力も必要です。これはまさに、試験に向けた勉強の段取りや、仕事におけるプロジェクトの進行と同じです。

効率的に物事を進める方法を考えるのにも役立ちます。

たとえば洗濯ものをたたむときに、どうやったら効率的に早くたためるか。「タオル」「Tシャツ」「下着」などというように仕分けをしてたたんだほうが早いか、あるいは「お父さん」「お母さん」「僕（私）」と、人ごとに分けてたたんだほうが早く収納できるか、あるいはたたんでから仕分けするか――など、いろいろと考えさせるのです。

しまい方にしても、Tシャツは重ねるより丸めて立てて収納するほうが探しやすいし、型崩れもしにくい。これはまさに書類の整理と同じです。

親御さんに家事をさせることの効果をお伝えすると、「子どもに手伝わせると時間がかかるんです」とおっしゃる方が多くいます。だからつい、自分がやってしまうのでしょう。

たしかに最初は時間がかかるし、教えることにも手間がかかります。でも子どもがやってくれるようになると、今度は逆に親御さんの時間が増えます。教育においては、最初の手間を惜しんではいけません。

家電製品は人間を楽にする技術のかたまり

家事を子どもにやらせたいけど、最近のご家庭では、ロボット掃除機、食器洗い機、全自動洗濯機という「新・3種の神器」がそろっていることも多いようです。これでは子どもに家事を経験させる機会は少ないと思うかもしれませんが、見方を変えれば、子どもの学びにつながることはまだまだあります。

その便利な家電製品の歴史を追っていくだけでも面白い。私は技術屋なので、掃除機を開発した話は非常に興味深く感じます。こういった話が好きな親御さんも多いのではないでしょうか。たとえば、ゴミの吸引力が強いサイクロン掃除機のサイクロン技術。この技術は昔からあったのですが、それを掃除機に応用したのがダイソンです。サイクロンはどんな仕組みで細かいチリまで吸引するのか、調べて共有してあげるのもいいでしょう。

ロボット掃除機も同じ。部屋をすみずみまで掃除できるようなプログラムをつくるのはとても大変なはずです。部屋の形はそれぞれの家庭で違うので、常に最適な経路を計算したり、部屋の形を記憶させたりして掃除させているわけです。

今の道具と昔の道具を比べて話してあげるのもいいでしょう。親御さんが以前使っていた掃除機と比べたときの違いや、進歩した点を話すだけでも楽しい会話になります。

家電製品にも使われている技術は、基本的に人間生活を豊かにするためのもの。**技術の出発点は、家事の困りごとであることが多い**こともわかりますね。

そう考えると、まだまだ家のなかでやること、勉強になることはたくさんあるはずです。

「AIを使いこなせる人間」をどう育てるか

約50年前、私はコンピュータの黎明期にシステムエンジニア（SE）をやっていました。当時は今のATM、昔で言うCD（キャッシュディスペンサー）のシステムをつくっていました。CDではお金の払い出しのみ可能で、預け入れはできなかった時代です。預け入れをコンピュータで管理し真札と偽札が識別できるようにするには、お札にコンピュータで読み取れるような印をつける必要がありました。

AIという言葉が出てきたのは最近のように思われていますが、1990年代にはAIを日本語訳した「人工知能」という言葉がすでにありました。

AIがしていることをごく簡単に言い換えれば「類型化」です。**人間も、何かを考えるときは常に類型化をしています。**「こういうときはこうだった」という経験を元に情報を積み上げてタイプ分けし、判断を効率化しているのです。

典型的なのが医者です。たとえば「熱が出た」という患者さんがいるとすると、医師は「熱は何度あるのか」「いつから出たのか」などの質問をして、そのたびに病気の可能性を消していきます。これがひとつ目の情報です。

次に、患者さんから「咳が出た」という情報がもたらされたら、当てはまらない病気を除外していきます。そうして薬を出す、検査をする、少し様子を見るなどの判断を下し、患者さんに伝える。これが類型化です。

先述したように「プログラミング＝段取り」なので、コンピュータがわかるように翻訳して伝えることが段取りなのです。コンピュータには、一つひとつ、初心者に教えるようにイチから説明しなければなりません。

それに対して、人間は経験を元に類型化できるため、明らかな情報は適度に端折《はしょ》って説明します。AIとは、それらの経験をひと束にしたもの。経験を束にする＝蓄積させることによって、あたかもコンピュータが考えているように見えるのです。

そのため、単純な仕事はAIに置き換えることが可能です。ですから、そのような仕事を担っていた人は失業すると予測されます。ただし、ＡＩは過去の経験からしかものを考えられないため、次々と新しい経験をする必要があるような職業はなくならないでしょう。**ＡＩを使いこなせる人間とは、段取りをきちんと考えられる人**です。友だち同士で集まるときにパッと幹事を申し出て段取りができる人、仕事の優先順位をつけるのが上手な人はＡＩを使いこなしていくでしょう。

“稼ぐ力”がないと会社に従属させられる

「子どもは有名企業、大企業に就職してほしい」

ここまでお話ししてもまだ、このようにお子さんを「安定した企業」に就職させたいと思う親御さんがいらっしゃるかもしれません。たしかに、ご自身の経験と照らし合わせると、大企業に入ることが子どもの幸せにつながるように見えるのは仕方がないことです。また名の通った会社であれば、人に聞かれたときに子どもの進路を事細かく説明する手間も省けるかもしれません。

しかし、これからは価値観を変える必要があります。どんな大企業でも、30年以上経過すると会社更生法が適用されたり、合併したりすることも多いのです。合併ならいいじゃないかと思われるかもしれませんが、それはすでに違う会社になったことを意味しますし、日本の場合、前向きな合併というのは多くありません。

また、たしかに子どもの性質や好きなことを尊重すると、必ずしも大企業や有名企業に結びつかないことはありえます。しかし、無理をして子どもの望まない道を進ませるより、**子どもに〝好きなこと〟をやらせるほうが、よほど安定する**と思うのです。

大事なことなので繰り返しお伝えしますが、これからの子育てでは、「会社が倒産しても生き残れる何かをもつこと」が大事なのです。

企業の寿命が30年として、人間の寿命と比べれば、たとえ大企業に就職して勤め続けていても、人生のうち一度は会社が変わるということになります。そのときに生き残る手立てをもつこと、それが「手に職」であり、「私はこれができます」というものをもつことなのです。

料理人なら包丁一本で次の職を見つけることができますが、「大企業のなかで滅私奉公できる力」や「人脈のなかで泳ぐ力」は意味をなさなくなるということです。

子どものうちから、お金を稼ぐことの意味を伝え、お金に換えられる具体的な技術を意識させることが大事になります。

"お金を稼ぐことの意味"をどう伝えるか

日本にはお金の話をするのははしたないとか、下品だとか思う人が多くいます。でも、お金を稼ぐ、収入を得るということは、誰かが自分の働きや技術に対してお金を払ってくれるということ。お金を払う人は、そのことで何らかの満足を得ようとしています。

つまり**お金を稼ぐとは、誰かが満足を得るため、幸せになるための手伝い**だと言えます。そう考えると、お金を稼ぐことの意味をポジティブにとらえられるでしょう。

むしろ、お金の大事さを子どもに伝えないことのほうがリスクです。お金を払い、お金を受け取ることで生活が成り立っていることを実感させる必要があります。ATMでボタンを押せば、無制限にお金が出てくるわけではないのです。デジタル化、キャッシュレス化が進んでいる今こそ、お金を実感させるための「お金の教育」が必要でしょう。

子どもにお金のことを伝えるには、年齢に応じて三つのステップがあります。

【ステップ1】小学校3年生以下

子どもが小学校3年生以下の場合、まずはお金を使うのは楽しいことだと実感させることが大切です。つまり、消費の喜びを感じることです。「おもちゃがほしい！」と駄々をこねる子がいるように、小さい子は誰でもものに対する欲求があるはずです。

もちろん、ほしいものを何でも買ってあげるわけではないのですが、子どもがほしいものを買ってあげる「ここぞ」という際には、親はけっして「こんなものムダよ」とか「高すぎる！」などと言わず、気持ちよくお金を払ってあげてください。お金を払ってほしいものが手に入るという喜びを存分に味わわせてあげましょう。

【ステップ2】小学校3、4年生くらい

具体的に買い物とお金とつながることを教えるのが小学校3、4年生くらい。お小遣いをあげて、その範囲でどうやってやりくりをするかを考えさせる段階です。お金と自分の欲求をどうつなげ、どうバランスをとっていくのか。使い方は子どもに任せてください。失敗するのももちろんOKです。お小遣いをもらってすぐにほしいものを買ってしまい、すぐにお小遣いがなくなってしまったり、ほしいものがお小遣いでは足りなくて、来月まで我慢したり……。それもすべて経験です。

【ステップ3】小学校高学年から中学生

小学校高学年から中学生になったら、家計のなかでお小遣いがどれくらいの割合になっているのかを見せることが大事です。つまり、一家が生活するには一カ月間にどれくらい

のお金が必要なのか。たとえば、「毎月の食費や住居費、光熱費、通信費、教育費にはこれくらいかかっているんだよ」ということを、子どもの年齢に応じて細かく伝えるのです。それが、お金に対する実感をもたせることにつながります。

ただし、親の収入から住宅ローンまで家計のすべてを明らかにするかどうかは、子どもの年齢やご家庭の考えによります。まずはおおまかな収入と支出だけを伝えて、そのなかでお小遣いの割合を伝える形でもいいでしょう。

遅くとも高校卒業までには、お金はＡＴＭから自動的に出てくるものではないことをしっかり教えましょう。

「時給1000円」で暮らせるかを考えさせる

お金の実感がもてるようになったら、今度は「自分の力で生活するとしたら……」と、自分事として考えさせてみましょう。

たとえば時給1000円のアルバイトで暮らすと、どのくらいの収入になるか計算をしてみるのです。自分が使うお金のなかで、それがどのくらいの割合になるか。

日本の場合、1日8時間、週40時間働くとすると1年間の労働時間は残業時間も入れると2000時間弱。時給1000円として計算すると年収200万円。

それで自分の生活や趣味の費用、学校の授業料、大学に入学するためのお金が払えるか、と考えさせます。高校生くらいになったら、食費、住居費、光熱費、日用品費などおおまかに費目を分けて考えさせてみてください。大学生になって時給1000円のアルバイトで目先のお金を稼いだとしても、**基本的な生活の土台は誰かに支えられていると知っていなければなりません。**

つまり、住居費や光熱費、携帯電話などの通信費は誰が払っているのか。親はつい「定職がないと大変よ」「フリーターでは将来が見えない」くらいしか言いませんが、何が大変かを数字で示しましょう。

具体的な数字が見えれば、「時給1000円じゃ、大学に行けないな」などと実感することができるでしょう。

概要が計算ができれば、アルバイトでは生活できない、もっと稼がなければいけないとわかります。年収1000万円を稼ぐには時給5000円が必要。つまり自分の1時間で5000円の価値を生み出さなければなりません。それはなかなか大変だ、ということを子どもに自覚させる必要があります。

それが、お伝えした「18歳で家を出る」ことにつながります。子どもが小学生くらいのうちから、「18歳になったら家を出て一人暮らしをするんだよ」と繰り返し伝えておけば、生活をするために必要なお金について意識をするようになるでしょう。

毎日使っている電気や水道にはお金が必要なこと、日々の食事にもお金がかかっていること。家庭ではこういった生活実感を教えてあげましょう。

お小遣いは定額制と歩合制のどちらがいいか

よく親御さんから聞かれるのが、子どものお小遣いについてです。定期的にお小遣いをあげたほうがいいのか、お手伝いをするごとにあげたほうがいいのか。

お話ししているように、私の結論はハッキリしています。お小遣いは、ぜひ毎月定額であげましょう。毎月、定額のなかでやりくりすることを経験させるためです。お手伝いをしたらお金をいくらかあげてもいいですが、定額のお小遣いと併用するといいでしょう。

私も子どものころ、お手伝いをするとお小遣いをもらえたので喜んでやっていました。お酒が好きな父親は毎日ビールで晩酌していたので、家にたまったビール瓶を酒屋にもって行っては引き換えにお金をもらっていたのです。

私は息子に対しても、お手伝いに応じてお金をあげるようにしていました。当時はアメリカにいたので、庭の芝刈りや英文のタイプ打ちをしたらいくら、と決めていました。そのうち息子が「増額してくれ」と交渉してくるなどして、それはそれでいい勉強になったと思います。

アメリカにいるころ、郊外でよく見かけたのは、トマトを育てて道端で売ってお小遣いにしている子どもです。また中学や高校の修学旅行の足しにするために、フロリダのオレンジを自分の地域で売って歩いている子どもたちもいました。

修学旅行の前になると、子どもたちが手分けをして地域の家に注文をとりに行くのです。街の大人たちはそれを知っているから買ってあげる。アメリカ人は、子どもに無意味にお金をあげるという育て方をしません。

こうして**お金は自分で稼ぐものであり、どこかから降ってくるものではないという感覚が自然に身につく**のです。

「お金」を知っていれば生きていける

最近は、驚くほど高額なお年玉をもらっている子もいますが、それによって、お小遣いのなかでやりくりするという子が減ってしまいました。

個人的には、意味もなくまとまったお金を受け取るお年玉という制度はよくないと思っています。私自身は孫に図書カードをあげるようにしています。

今はお年玉どころか、夏休みにお金を渡す「お盆玉」まであるとか。それでは、お金は労働の対価としてもらうということがわからなくなってしまいます。

もしもお年玉やお盆玉をもらったら、日常のお小遣いとは分けて貯金をして、子どもにお金を管理させるといいでしょう。「まとまったものがほしくなったときのために貯めておきなさい」と教えてあげるのです。親はお年玉の管理をせず、子どもの計画するに任せてください。これも経験になります。

もし子どもが「お小遣いを使いきっちゃったから、先にちょうだい」などと前借りを申し出てきても、あげないようにしましょう。失敗から考えさせることで、やりくりを学ぶためです。ただし、そのときに「お手伝いをしたらこれだけあげるよ」と交換条件を出すのはひとつの手です。

繰り返しますが、**家庭内の教育で一番大事なのは勉強を教えることではなく、「お金のマネジメントと家事」**です。

勉強については、好きな人も嫌いな人もいます。得意不得意もあります。勉強が嫌いでも生きていくことはできます。ところが、お金のマネジメントと家事ができないと、生きていくことは難しいのです。

たとえお金のためであっても、お手伝いをさせて家事を経験させるのは非常に大切なこと。お手伝いとお小遣いを結びつけるのは、一石二鳥というわけです。

好きなことを見つけられないときには

大学を卒業する時期になっても何がやりたいのかわからない、好きなことや得意なことを見つけられないという人もいます。

いったい、いつ自分が生涯の職業と出会うのか？　いつ、好きなことや得意なことと職業がつながるのか。これは「理想の恋人といつ出会うのか？」という質問と同じ。あるとき、「これが私の生涯の仕事だ」「自分はこの仕事で生きていくのだ」と確信できるものと出会うのです。いつ出会うかは誰にもわからないので、それを待つしかないでしょう。それは子どものころかもしれませんし、30歳になってからかもしれません。

なりたいものが見つけられなければ、まずは幅広く何でも試してみるのです。「好きなことや得意なこと」というと、人より抜きん出ていることや、他の人ができないようなことだと思う人もいますが、そんなことはありません。

自分のなかで、他のことと比べて「苦ではないこと」でいいのです。たとえば話すことは苦手でも、「人の話を聞くこと」は苦ではなくて、よく人から「話を聞いてもらえてよかった」と言われることが多いという経験があるとしましょう。

話を聞く専門家としての仕事であれば、カウンセラーやコーチ、コンサルタントなどの仕事が代表的なものでしょう。それだけではなく、これだけデジタルが浸透していても、あらゆる仕事はコミュニケーションで成り立っていきます。聞くことができるのは素晴らしい能力です。医師、看護師、保健師、介護士、ソーシャルワーカーなどの医療関係や、保育士や教師などの教育関係、あるいは営業マンだって、「話を聞く」ことが仕事です。

日本人は自分のことを「自分なんて大したことはない」「特別な能力も才能もない」と過小評価しがちです。しかし、自分には素晴らしい能力があると気づき、自信をもつことが大切です。その自信をつけるサポートができるのは、第一に親御さんなのです。

柳沢幸雄（やなぎさわ・ゆきお）

1947年生まれ。東京大学名誉教授。北鎌倉女子学園学園長、前・開成中学校・高等学校校長。開成高等学校、東京大学工学部化学工学科卒業。1971年システムエンジニアとして日本ユニバック（現・日本ユニシス）に入社。1974年退社後、東京大学大学院工学系研究科化学工学専攻修士・博士課程修了。ハーバード大学公衆衛生大学院准教授、併任教授（在任中ベストティーチャーに数回選ばれる）、東京大学大学院新領域創成科学研究科教授を経て、2011年から開成中学校・高等学校校長を9年間務めた後、2020年4月より現職。シックハウス症候群、化学物質過敏症研究の世界的第一人者。

「後伸《あとの》びする子《こ》」に育《そだ》つ親《おや》の習慣《しゅうかん》

2021年 9 月 1 日　第 1 刷

著　　者　柳《やなぎ》 沢《さわ》 幸《ゆき》 雄《お》

発 行 者　小 澤 源 太 郎

責任編集　株式会社 プライム涌光
電話　編集部　03(3203)2850

発 行 所　株式会社 青春出版社
東京都新宿区若松町12番 1 号 〒162-0056
振替番号　00190-7-98602
電話　営業部　03(3207)1916

印刷　三松堂　　製本　フォーネット社

ISBN978-4-413-23218-0 C0037

高校受験は「内申点アップ」が9割
内申点といっしょにテストの成績も上がる「自律ノート®」の秘密
桂野智也

成功する子は「やりたいこと」を見つけている
子どもの「探究力」の育て方
中曽根陽子

5分でわかるイラスト図解!
理系の「なぜ?」がわかる本
小谷太郎

運の強さはすべてノリ〈宣言〉で決まる!
100倍速で夢がかなう 全開パワー開運法
相原康人

もしも人食いワニに噛まれたら!
最前線の研究者が語る、動物界最強ハンターの秘密
福田雄介

青春出版社の四六判シリーズ

「もうもたない…」折れそうでも大丈夫
鹿目将至

わたしは「私」を諦めないことにした
人生のステージをシフトする生き方
中山ゆう子

50代「仕事に困らない人」は見えないところで何をしているのか
中谷彰宏

銀行は、社長のどこを見ているのか?
藤原勝法

内科医・東洋医学のドクターが教える
うつぬけ生活習慣
工藤孝文

お願い　ページわりの関係からここでは一部の既刊本しか掲載してありません。
折り込みの出版案内もご参考にご覧ください。